EMMET FOX
Autor de El Sermón de la Montaña

CAMBIA TU VIDA

EDICIONES OBELISCO

Si este libro le ha interesado y desea que le mantengamos informado de nuestras pu-
blicaciones, escríbanos indicándonos qué temas son de su interés (Astrología, Autoa-
yuda, Ciencias Ocultas, Artes Marciales, Naturismo, Espiritualidad, Tradición, etc.)
y gustosamente le complaceremos. Puede visionar nuestro catálogo en
http://www.edicionesobelisco.com

Colección: La Aventura Interior
Cambia Tu Vida
Emmet Fox

1ª edición: marzo de 2001

Título original: *Alter Your Life*
Traducción: *Alberto de Satrústegui*

Diseño cubierta: *D.T.C. Vital*
Maquetación: *Edda Pando*

© 1994 by Emmet Fox (Reservados todos los derechos)
Published by arrangement with Harper San Francisco,
a division of HarperCollins Publishers Inc.
© 2000 Ediciones Obelisco, S.L., (Reservados los derechos para la presente edición)
Pere IV, 78 (Edif.Pedro IV) 4.ª planta 5.º 08005 Barcelona - España
Tel. 93 309 85 25 - Fax 93 309 85 23
Castillo, 540 - 1414 Buenos Aires (Argentina)
Tel. y Fax 541 14 771 43 82
E-mail: obelisco@airtel.net

ISBN: 84-7720-824-7
Depósito legal: B-5445-2001

Printed in Spain
Impreso en España en los talleres de Romanyà/Valls S.A.
Verdaguer, l. 08786 Capellades (Barcelona)

CAMBIA TU VIDA

Cambia tu vida

No hay necesidad de sentirse desgraciado. No hay necesidad de estar triste. No hay necesidad de sentirse disgustado, oprimido u ofendido. No hay necesidad de enfermedades, de fracasos o desilusiones. No hay *necesidad* alguna de nada que no sea éxito, salud, prosperidad y un abundantísimo interés y alegría en vivir.

El hecho de que las vidas de muchísimas personas se encuentren llenas de cosas aburridas constituye una auténtica desgracia, pero hay que reconocer que es verdad, que están allí, aunque no haya necesidad alguna de que lo estén. Y están allí porque sus víctimas las suponen inevitables; no porque lo sean. Mientras uno acepte cualquier condición negativa como valoración propia, mayor será el tiempo que permanezca esclavizado a ella, pero uno no tiene sino que hacer valer sus derechos de nacimiento a ser un hombre o una mujer libre para serlo.

El éxito y la felicidad no son sino condicionamientos naturales de la humanidad, siéndonos, de hecho, más fácil demostrar estas cosas que lo contrario. Los malos hábitos en el hablar y en la acción pueden oscurecer este hecho durante algún tiempo, de la misma forma que una forma incorrecta de andar o de sentarse o de sujetar una pluma o un instrumento musical pueden parecer más fáciles que la correcta, por habernos acostumbrado a ella, aunque, sin embargo, la forma correcta sea la más fácil.

Infelicidad, frustración, pobreza, soledad no son en realidad sino malos hábitos a los que sus víctimas se han ido acostumbrando a soportar con mayor o menor grado de fortaleza, en la creencia de que no hay manera de evitarlos, y eso a pesar de existir una manera muy sencilla, que no es otra que la de adquirir buenas costumbres mentales en lugar de las malas: hábitos de ir a favor de la Ley en vez de en su contra.

Nadie debe jamás "aguantar" nada. Nadie debe estar dispuesto a aceptar nada que no sea Salud, Armonía y Felicidad. Las tres constituyen los Derechos Divinos que nos corresponden como hijos e hijas que somos de Dios, siendo solamente una mala costumbre –inconsciente, por lo general– la que hace que nos sintamos satisfechos con menos. En lo más profundo de su ser, el hombre siempre ha sabido de manera intuitiva que existe una forma de salir de sus problemas, que lo que hace falta es encontrarla y que todos sus instintos naturales apuntan en su dirección. El niño, todavía no contaminado por las sugerencias derrotistas de sus mayores, se niega sencillamente a tolerar la falta de armonía en término alguno, y, por lo tanto, se rebela contra ella. Si tiene hambre, se lo comunica al mundo con una insistencia tan confiada que llama la atención, cuando son numerosísimos los adultos sofisticados que se quedan como estaban. ¿Que algo le pincha en alguna parte de su anatomía? De él no saldrá ni un suspiro de resignación por la supuesta "voluntad de Dios" (es una auténtica blasfemia decir que el dolor y el sufrimiento puedan jamás proceder de la voluntad de Dios, la Bondad Total) ni una queja por no tener nunca buena suerte ni un suspiro por aquello de que "hay que aguantarse lo que no tiene cura". No, la visión derrotista de la vida todavía no le ha rozado, y sus instintos le dicen que vida y armonía son términos inseparables. Y, por supuesto, se encuentra lo que le pincha y se quita, aunque todo haya de suspenderse hasta lograr el objetivo.

Sin embargo, "las sombras de la casa-prisión comienzan a cernerse durante el crecimiento del niño" y, para cuando tenga la suficiente edad para pensar de manera racional, la costumbre de la Raza le habrá ya enseñado a hacer uso de su raciocinio en gran parte al revés.

Niégate a aceptar nada menos que la armonía. Puedes prosperar sin prejuicio de las circunstancias en que te encuentres en este momento. Puedes tener salud y aptitudes físicas. Puedes tener una vida feliz y alegre. Puedes ser propietario de una buena vivienda. Puedes contar con amigos y camaradas agradables. Puedes llevar una vida completa, libre, alegre, independiente y sin límites. Puedes ser tu propio jefe o jefa. Pero, para llegar a esto, tienes que tomar, sin duda alguna, el timón de tu propio destino y pilotar con valentía y firmeza hacia el puerto al que pretendas llegar.

¿Qué *haces* por tu futuro? ¿Te basta con dejar que las cosas sigan como están, en la espera –como Mr. Micawber– de que algo "ocurra"? Si es así, puedes tener la seguridad de que no existe manera de escapar. Nada ocurrirá jamás sin que ejercites tu Libre Voluntad, te eches a la calle y lo descubras por ti mismo poniéndote al corriente de la Leyes de la Vida y poniéndolas en práctica en tus propias condiciones personales. Es la única forma. De otro modo, los años pasarán demasiado deprisa dejándote donde estás ahora, si no peor, porque no existen límites a los resultados del pensamiento ni para lo bueno ni para lo malo.

El hombre domina todas las cosas si conoce la Ley del Ser y la obedece. Esta ley te concede la fuerza para introducir en tu vida cualquier condición que no sea nociva. Esta Ley te proporciona la fuerza para vencer tus propias debilidades y defectos de carácter, por mucho que tú hayas fracasado en ello antes o por muy tenaces que aquéllos hayan podido ser. Esta Ley te da la fuerza para alcanzar prosperidad y posición sin infringir los derechos y oportunidades de nadie en el mundo. Esta Ley te da Libertad; libertad espiritual, libertad corporal y libertad ambiental.

La Ley te da Independencia para que puedas edificar tu propia vida a tu manera, de acuerdo con tus propias ideas e ideales, y para que puedas planificar tu futuro siguiendo las líneas que te hayas trazado. Si no sabes lo que realmente quieres para hacerte feliz, la Ley te lo dirá y, además, lo conseguirá para ti. Esta Ley, entendida y puesta en práctica de forma correcta, te salvará del peligro de lo que se denomina "perfilado", con todos sus riesgos y limitaciones.

La Ley te concederá el don de lo que llamamos Originalidad. Originalidad no es sino la manera de hacer las cosas de otra manera que es mejor y diferente de las de todos los demás. Originalidad –distinta de sus falsificaciones: la excentricidad y la mera afectación– significa para ti éxito en el trabajo.

La Ley te conferirá autoridad sobre el pasado y el futuro. La Ley te convertirá en maestro del Karma en vez de en su esclavo.

¡Oh, cómo amo Tu Ley!

No necesitas ser mezquino ni estrecho de mente. No necesitas seguir viviendo o trabajando con gente que te cae mal. Si estudias la Ley y la pones en práctica, no necesitas sentirte enfermo, cansado o superado por tu trabajo.

No pospongas más el estudio de la Ley. Dicen que la dilación es la ladrona del tiempo, pero existe otro proverbio que lo proclama con más énfasis todavía: el Infierno está pavimentado no de malas sino de buenas intenciones.

Es de quien lo deja todo para más tarde de quien la Ley dice: *Oirás el Nunca, Nunca susurrado por los años fantasmas,* pero el camino del Sabio (el justo o el que Piensa Con Rectitud) resplandece cada vez más cuanto más se acerca al Día Perfecto.

Haz hoy mismo inventario de tu vida. Siéntate solo y tranquilo, con papel y lápiz, y escribe las tres cosas que más deseas en tu vida. Sé franco. Escribe las cosas que, *de verdad,* deseas; no las que crees que *tienes* que desear. Sé explícito, no vago. Después, escribe las tres cosas o condiciones que desearías *eliminar* de tu vida. Insisto, sé categórico y explícito, no andes con vaguedades.

Si realizas lo dicho sinceramente, tendrás ya un valiosísimo análisis de tu propia mente. Con el tiempo, esto te dirá cantidad de cosas sobre ti mismo que en este momento ni te imaginas, cosas que van mucho más allá que los seis puntos, y, a medida que vaya aumentando tu conocimiento de la Verdad espiritual, te volverás capaz de manejar los nuevos conocimientos sobre ti mismo de una forma que te sorprenderá.

Y ahora, cuando ya tengas ante ti tus seis puntos, trabaja durante unos minutos en cada uno de ellos por separado y con todos los conocimientos espirituales y metafísicos con que ahora cuentes. Recuerda, lo importante no es la cantidad de conocimientos que tienes, sino que hagas uso de todos los que tienes. Una de las leyes espirituales es la de que hacer uso de un 90 por ciento de una pequeña cantidad de conocimientos es, en la práctica, mucho más eficaz que emplear digamos que un 50 por ciento de una cantidad mayor. Repite este proceso todos los días durante un mes, sin omitir uno solo y, al final de ese tiempo, será muy raro que no hayas manifestado en tus condiciones un sorprendente cambio a mejor.

El siguiente es un sencillo y eficaz método de trabajo dirigido a aquellos que no estén acostumbrados al tratamiento espiritual: pide suave pero categóricamente que la Gran Fuerza del Universo Creadora de la Vida te traiga las tres primeras cosas a tu vida a Su manera, a Su tiempo y en Su forma. Después, exige que la misma Gran Fuerza disuelva cada una de las otras tres, también a Su manera. No intentes dictar la manera exacta en que deban llegar las nuevas condiciones. No estés tenso ni seas vehemente. No permitas a nadie saber lo que estás haciendo. No seas impaciente buscando los resultados todos los días, sino realiza tu tratamiento y olvídate hasta el día siguiente. *Tu fortaleza descansa en la tranquilidad y en la confianza.*

Los cuatro jinetes
del Apocalipsis

Los Cuatro Jinetes del Apocalipsis se encuentran entre los símbolos más importantes de la Gran Biblia porque proporcionan la clave de la naturaleza del hombre tal y como le conocemos. Cuando comprendas bien estos símbolos, comprenderás tu propio carácter y podrás empezar a trabajar en el dominio tanto de ti mismo como de lo que te rodea.

Existe otra razón de por qué es tan importante comprender a los Cuatro Jinetes. Constituyen un ejemplo típico de la manera en que la Biblia hace uso del principio general del simbolismo. Cuando te hagas con todo su significado, por ejemplo, dándote cuenta de la forma en que la Biblia habla sobre los caballos, para enseñar la verdad psicológica y espiritual, habrás dominado el esquema general de las alegorías bíblicas. La Biblia no está escrita en el estilo de los libros modernos. Posee un método propio para transmitir conocimientos mediante símbolos gráficos por la simple razón de que ésta es la única manera en que puedan darse conocimientos a gentes de todas las edades en diferentes partes del mundo y con distintos grados de desarrollo espiritual. Una afirmación directa en un estilo moderno podría gustar a un determinado tipo de audiencia; sin embargo, los símbolos agradan a todos, y cada individuo saca de ellos nada más que aquello para lo que está preparado.

La Biblia no está llena de predicciones. La Biblia no pretende decir lo que va a suceder en el futuro, porque, si pudiera hacerse, solamente querría decir que no tenemos libre albedrío. Si el futuro se organizase desde ahora –como una película embobinada en su caja–, ¿de qué servirían las oraciones o el estudio de la metafísica? ¿Por qué dedicó Jesús tantas horas, incluso noches enteras, a la oración si con ello no podía cambiar nada? Pero, por supuesto, claro que puedes cambiar el futuro y el presenta mediante la oración, y, por supuesto también, la que te hace o te deshace, la que hace que te sientas enfermo o sano, feliz o triste, idiota o sensato.

Los Cuatro Jinetes del Apocalipsis[1] representan los cuatro elementos o partes de la naturaleza humana tal como la vemos en este momento. Tal como nos conocemos en nuestra personificación actual, da la impresión de que estemos hechos de cuatro partes. La primera de todas, el cuerpo físico, eso que vemos al mirarnos en un espejo. Después está tu naturaleza sensitiva o tus emociones. Se trata de una parte sumamente importante de ti mismo, porque, aunque no puedas "ver" tus sentimientos, eres tremendamente consciente de ellos. En tercer lugar, está tu inteligencia. Tampoco la puedes ver, pero conoces perfectamente su existencia porque contiene

1.Apocalipsis 6.

14

hasta el más diminuto dato de los conocimientos –con o sin importancia– con que cuentas.

Y, por fin, está tu naturaleza espiritual o tu auténtico yo eterno, tu verdadero yo, tu YO SOY, tu Cristo Residente, la Chispa Divina o como quieras llamarla. Esta es tu auténtica identidad, que es eterna. Casi todos creen en su existencia, aunque la mayor parte de la gente no sea muy consciente de ella como algo real.

Los estudiosos de metafísica son conscientes de que llegará inevitablemente el momento en que las tres primeras se fundirán con la cuarta y de que entonces todos *sabremos* –en vez de sólo *creer*– que la naturaleza espiritual es todo. Sin embargo, hasta que llegue ese momento, no ocurre así, por lo que nos vemos viviendo con esos cuatro elementos de nuestra naturaleza, a los que la Biblia llama los Cuatro Caballos.

El primer caballo que nos ocupará es el Caballo Pálido, siendo aquí "pálido" el color del miedo. Tal vez hayáis visto el terror reflejado en un semblante humano. No trato aquí de un cierto nerviosismo o miedo moderado, sino de terror. No es un espectáculo agradable. La piel se vuelve de un gris ceniza. Ese es el color del Caballo Pálido.

Y el nombre de quien lo montaba era Muerte, y el Infierno le seguía.[2]

Bueno, pues el Caballo Pálido significa el cuerpo físico, y se nos dice que lo monta la Muerte y que el Infierno le sigue de cerca. Si tú eres ese tipo de jinete, si sólo vives para tu cuerpo, lo único que te espera es el infierno en este plano o en cualquier otra parte. Hay que sentir lástima por las personas que viven para el cuerpo, porque el cuerpo es el mayor tirano de todos si se le permite

2. Apocalipsis 6:8.

ser quien manda. La persona que sólo viva para comer, beber y para la sensualidad no hace sino introducir el mal y la destrucción en su vida en este plano. Recuerda que la persona que vive para el cuerpo no puede regenerarse, por lo que envejece más cada año. Esto quiere decir que el cuerpo se va desgastando constantemente y que esa persona carece de otros recursos. Para ella, la vejez le aporta decrepitud y vacío y, con toda probabilidad, también molestias y dolor. Se ha montado en el Caballo Pálido, y es el infierno el que sigue a ese jinete.

Pero el Caballo Pálido no significa solamente el cuerpo físico. También implica otras cosas físicas, como, por ejemplo, lo que la Biblia denomina el "mundo": dinero, posición, honores materiales.

Si antepones el dinero a todo, cabalgas el Caballo Pálido, aunque no seas glotón ni sensual. El dinero es tu Dios, y es muy posible que lo alcances, aunque lo sentirás porque le sigue el infierno. ¿Por qué adorar al dinero? Después de que hayas comprado algo de comida, alguna ropa, pagado tu alquiler y adquirido algunas cosas más, ¿qué puede darte el dinero? Hay cantidad de millonarios que pasan por la Quinta Avenida y que no encuentran nada de lo que realmente necesitan que puedan comprar con su dinero. No pueden entrar en unos almacenes y adquirir tranquilidad o un cuerpo sano o amistad o lealtad o –por encima de todas las cosas– un contacto con Dios.

Por otro lado, hay personas a las que no les preocupa el dinero, pero que se consumen por las distinciones y honras mundanas. Quieren ser importantes o, para decirlo mejor, quieren que se les considere importantes. Quieren ser la Cabeza de algo. Quieren ser respetados. No piensan en lo bueno que pudieran hacer en el mundo, sino en cuántos honores pueden recibir. También están montados en el Caballo Pálido, y el infierno les sigue. Si pudieses leer los corazones de quienes se asientan en las poltronas de los poderosos, te sorprenderías de la frecuencia con que te encontrarías con descontento y desengaño, porque el Caballo Pálido siempre galopa igual.

Si alguien acepta un puesto importante porque quiere servir honradamente al prójimo y glorificar a Dios, no va montado en el Caballo Pálido, en cuyo caso, si las cosas van mal o se le malinterpreta o engaña, no le preocupa porque lo que intentaba hacer era lo que Dios manda y en esto consiste el auténtico éxito.

El que vive para comer y beber, el adicto a la sensualidad y las drogas, el que vive para el dinero o para los honores mundanales, es el jinete del Caballo Pálido.

Y ahora quiero hablar del Caballo Rojo.[3]

Y entonces llegó otro caballo que era rojo, y a quien lo montaba se le había dado el poder de que la paz abandonase la tierra y de que todos se matasen entre sí. También se la había dado una gran espada.

¿Qué es el Caballo Rojo? El Caballo Rojo es tu naturaleza emocional, tus sentimientos. Tu mente humana, como ya sabes, consiste en dos partes, inteligencia y sentimiento. Y nada más. Cada uno de tus pensamientos cuenta con dos partes, un contenido de conocimientos y un contenido de sentimientos, con lo que siempre te encuentras con esas dos cosas, conocimiento y sentimiento. El conocimiento pertenece a la inteligencia, y el sentimiento, como es de suponer, a la naturaleza emocional. En algunos pensamientos, el contenido de conocimientos es mucho mayor que el de sentimientos, y, en otros, es el contenido de sentimientos el que es mayor.

_____

3. Apocalipsis 6:4.

En matemáticas, por tomar un caso extremo, el contenido de sentimientos casi no existe. Nadie se emociona demasiado con la idea de que dos lados cualquiera de un triángulo suman una longitud mayor que el lado restante, o que, cuando dos líneas rectas se cortan, los ángulos que forman son idénticos. Sí que existe un pequeño contenido emocional, porque los conocimientos reales y exactos siempre producen cierta satisfacción a la mente, además de que hay una cierta belleza en las verdades matemáticas, pero la verdad es que, para la mayoría de la gente, la cantidad de sentimientos involucrada sería bastante pequeña.

En el otro extremo de la escala se encuentran los sentimientos relacionados con la religión y la política. Todos conocemos los profundos sentimientos –por no decir prejuicios– que conllevan estos temas. La gente los siente con tanta intensidad que, por regla general, están proscritos en cualquier reunión social; sin embargo, la cantidad de conocimientos que la mayoría de la gente posee sobre ellos es sorprendentemente pequeña. Por ejemplo, son pocas las personas que hayan estudiado las doctrinas de la iglesia particular a que pertenecen. Sin embargo, las sienten profundamente y son capaces de revolverse contra la más mínima crítica que se haga contra ellas. Son escasísimos los que hayan considerado cuidadosamente el principio político que sostiene al partido político a que pertenecen y quienes se hayan molestado en familiarizarse con la cantidad de datos existentes sobre el tema, pero eso no les impide ser acérrimos partidarios de dicho partido. Tanto en éstos como en otros temas, la gente cuenta con una masa de sentimientos muy poco iluminada por la inteligencia. El contenido intelectual de esos pensamientos es sumamente pequeño.

Es muy peligroso permitir que tus emociones te controlen, que el Caballo Rojo te arrastre, porque socavará tu salud te arruinará en cualquier fase de tu vida que te halles. El Caballo Rojo es tan peligroso como el Pálido, aunque, por supuesto, no tan degradante, razón por la que arruina muchas más vidas. Una persona adulta es aquella que tiene control de sus sentimientos. La persona que no puede controlarlos es todavía un niño, aunque tenga cien años de edad. Si no puedes controlar tu emoción, ésta te controlará a ti y acabará contigo.

Pero esto no quiere decir que las emociones o sentimientos sean intrínsecamente malos. Lo que quiere decir es que la emoción *incontrolada* es algo malo; de hecho, es casi tan malo sentir poca emoción como demasiada. Las personas débiles emocionalmente nunca llegan muy lejos. Son esas personas tan amables a quienes jamás se tiene en cuenta o que pasan desapercibidas. Nadie sabe ni se preocupa de si están o no en la misma habitación. Son arrastradas por la vida como por accidente; son arrastradas a negocios en los que nunca llegan a nada; son arrastradas a matrimonios y, por fin, son arrastradas a la tumba casi sin que nadie se dé cuenta.

Una naturaleza emocionalmente fuerte es como un coche de gran potencia. Si lo controlas, es algo estupendo. Te llevará adonde quieras por los caminos más abruptos o a la cima de montañas, porque es todo potencia. Pero, si no lo controlas, si no entiendes la manera de conducirlo o si eres idiota y pisas el acelerador en lugar del freno, el coche se autodestruye y a ti con él, precisamente por ser tan potente.

Si lo que tienes es un coche antiguo y de poca potencia, que a duras penas puede avanzar traqueteando, no te conducirá a ninguna parte, pero tampoco te hará mucho daño. Aunque choques contra una pared, él sólo emitirá un rateo y se detendrá.

Una naturaleza emocional fuerte es un don espléndido si tú la dominas, pero, si es ella la que te domina a ti, es

19

que estás montado en el Caballo Rojo, y, si montas el Caballo Rojo, apéate en cuanto puedas, porque no hay salvación para ese jinete.

¿Cómo saber si estás montado en el Caballo Rojo? Pues mira, si te irritas por nada, si te enfadas e indignas por nonadas, en especial, cuando ni siquiera te concierne; si te pones frenético por cosas que lees en el periódico; si intentas dirigir las vidas de otros y ello te excita, pues están montado en el Caballo Rojo, y lo mejor es que te bajes.

En el momento en que aprendas a dominas tus sentimientos, empezarás a hacer algo de tu vida.

Ahora llego al Caballo Negro, y esto es lo que dice:

Y hete aquí que había un caballo negro y que quien lo montaba sostenía una balanza en su mano, y oí una voz que surgía entre las cuatro bestias y que decía: una medida de trigo por un penique y tres de cebada por un penique.[4]

La balanza, es decir un par de platillos como los que emplean en las droguerías o tiendas de ultramarinos, es convierte aquí en símbolo de hambruna o de necesidad. Quiere decir que no hay suficiente para todos y que, por lo tanto, hay que empezar a racionar. El Caballo Negro representa la inteligencia y, si te montas en él, tu alma morirá de hambre. Son muy pocos los que montan el Caballo Negro si los comparamos con quienes lo hacen en el Caballo Rojo, pero hay quienes lo montan, y todo el mundo civilizado viene haciéndolo desde hace siglos.

El hecho de montarse en el Caballo Negro no implica que se tenga una gran inteligencia, aunque el tenerla no

---

4. Apocalipsis 6:5-6.

sea nada malo. De hecho, muchísima gente, sobre todo en el plano religioso, estaría mucho mejor con un poco más de inteligencia que la que tienen. Montarse en el Caballo Negro quiere que permites que tu inteligencia te domine hasta excluir la naturaleza emocional y, lo que es peor, la espiritual. Es bueno tener la inteligencia entrenada y pulimentada por el uso, pero es una desgracia permitir que se convierta en tu dueña. Hay quienes dicen que el universo puede entenderse desde un punto de vista intelectual, que todo lo relativo a Dios puede ponerse en español puro y ser explicado perfectamente con palabras. Esto sí que es un absurdo, porque en realidad sería como intentar definir lo infinito, y, como decía Spinoza, definir a Dios es negarle. Otras personas suelen dogmatizar y decir que no existe nada fuera de la materia, que la mente no es sino una secreción de la materia y que, por lo tanto, el hombre, al no poder llevarse su cuerpo consigo, no puede sobrevivir a la muerte. Esta gente suele decir que el cerebro piensa y que, cuando el cerebro se pudre en la tumba, el pensador no puede permanecer vivo. Hay también quienes se siente ofendidos si se les llama materialistas a pesar de que dicen que no pueden creer en la oración porque las leyes de la naturaleza son deterministas y porque, por lo tanto, es imposible que la oración pueda cambiar nada.

Todas estas personas están montadas en el Caballo Negro y tienen hambre porque creencias tan equivocadas les privan de toda comprensión y crecimiento espirituales.

La inteligencia es algo excelente y se da por supuesto que no podríamos vivir en este plano sin ella; pero la inteligencia puede solamente tratar de cosas tridimensionales. Más allá, se rompe. Debemos tener inteligencia para comprar y vender, para levantar edificios y construir carreteras; en pocas palabras, para llevar a cabo nuestro trabajo cotidiano, pero, a medida que nos vamos aproximando a Dios, vamos abandonando el territorio de la inteligencia para atravesarlo por completo y llegar a la región de lo espiritual, donde los valores constituyen la perfección, y la dimensión es el infinito. La verdad sobre Dios debe sobrepasar la inteligencia, necesitando de la naturaleza espiritual para entender aquélla. El instrumento de la inteligencia es la razón, y, si bien es verdad que cualquier cosa que contradiga a la razón no puede ser verdadera, las verdades religiosas deben alcanzar más allá de la razón, sin, por supuesto, contradecirla.

La inteligencia no puede darte la verdad sobre Dios, y el intentar suponerlo es como intentar utilizar un termómetro para pesar un paquete o hacer uso de una balanza para medir la temperatura de la habitación. Si lo haces, te equivocas de instrumentos.

Si intentas vivir sin el conocimiento de Dios, sin oración o sin contacto espiritual, puedes estar seguro de que, tarde o temprano, llegarás a un estado de depresión y de disgusto, porque éste es el destino del Jinete del Caballo Negro.

En el siglo XIX, los científicos no creían en nada que no pudiese aislarse en un tubo de ensayo o examinarse bajo el microscopio. Estos científicos materialistas iban montados en el Caballo Negro. Sin embargo, hoy en día, algunos de los especialistas más eminentes en Ciencias Naturales comienzan a reconocer la existencia de cosas espirituales.

La civilización occidental viene montada en el Caballo Negro desde el fin de la Edad Media. El Renacimiento descubrió la inteligencia, lo que constituyó un espléndido logro, pero la civilización occidental se negó a mantener la inteligencia en su sitio. Se permitió que se hiciese la dueña. Desde entonces, nuestra forma de educación ha venido siendo principalmente intelectual, dejando de lado otras cosas. Muy en especial, éste ha venido siendo el caso desde que comenzó la Edad Moderna con la invención de una máquina de vapor comercialmente viable a mitad del siglo XVIII.

La última Guerra Mundial, que, en realidad, no fue sino una continuación de la anterior Guerra Mundial, se debió directamente a este sistema. La humanidad ha desarrollado los conocimientos científicos e intelectuales mucho más de lo que lo ha hecho con la comprensión moral y espiritual de la raza. Este desarrollo ha concedido al hombre el poder de fabricar, por ejemplo, potentísimos explosivos, así como de construir submarinos y aviones, pero, como su desarrollo espiritual se ha ido quedando tan detrás de sus logros intelectuales, emplea esas cosas para destruir y tiranizar. Si la comprensión de la verdadera religión se hubiese mantenido al mismo ritmo que el descubrimiento científico, los conocimientos se hubieran empleado para la ilustración y felicidad de la humanidad en lugar de en su destrucción. Esto es lo que conlleva montarse en el Caballo Negro.

El jinete del Caballo Negro es como el piloto que se pasa el día en la pista de aparcamiento sin despegar jamás. Está claro que un avión no está hecho para correr por tierra. Hasta el más barato y antiguo de los coches correrá mejor por el suelo que el mejor avión. El avión no está construido para el suelo, sino para surcar los cielos y, hasta que no despega, no está en su elemento.

Y, por fin, llego al cuarto caballo. Aquí está la solución a todos nuestros problemas.

Y hete aquí que vi un caballo blanco y que quien lo montaba tenía un arco y recibía una corona. Y partió conquistando y a conquistar.[5]

___
5. Apocalipsis 6:2.

El Caballo Blanco constituye la Naturaleza Espiritual, y el hombre o mujer que se monten en el Caballo Blanco tendrán libertad, alegría y felicidad y armonía fundamentales, porque el Caballo Blanco es la realización de la Presencia de Dios.

Cuando pones a Dios en el primer lugar de tu vida, cuando te niegas a limitar a Dios, cuando ya no vas a decir nunca más que Dios no puede hacer algo, cuando confías en Dios con todo tu corazón, *es que estás montando el Caballo Blanco,* y sólo es una cuestión de tiempo que te conviertas en una persona libre, cuando rompa el día y las sombras se desvanezcan. El Caballo Blanco te llevará a la salud, la libertad y la expresión de la propia personalidad, al conocimiento de Dios y, como punto final, a la Realización de El. Montando el Caballo Blanco te irás conquistando y a conquistar.

Se nos dicen dos puntos interesantes sobre el Jinete del Caballo Blanco. La Biblia dice que tenía un arco. El arco y la flecha constituyen un antiquísimo símbolo de la Palabra hablada. La Palabra hablada hace que pasen cosas. Cuando hablas con la Palabra, disparas una flecha. Esta va donde tú la diriges y no puede ser revocada ni volver de vacío. Fíjate en que la Palabra no tiene por qué ser dicha de manera que se oiga. La oración en silencio suele ser más poderosa que la audible, pero, si te es difícil concentrarte porque tienes miedo o estás preocupado, te será más fácil orar en voz alta. El Jinete del Caballo Blanco habla la Palabra.

El Jinete del Caballo Blanco lleva una corona, y la corona ha sido, desde siempre, el símbolo de la victoria. El que gana en el combate se lleva la corona. Los griegos solían conceder a los ganadores en las carreras una corona de palma, y a lo largo de toda la Historia, los reyes vienen siendo coronados. La corona es el símbolo de la victoria, y el Jinete del Caballo Blanco es siempre el vencedor.

Y esta es la historia de los Cuatro Jinetes del Apocalipsis. Si quieres paz espiritual, si quieres sanar, felicidad, prosperidad, libertad y, sobre todo, si quieres entenderte con Dios, sólo hay una manera: *tienes que montarte en el Caballo Blanco*.

Si está interesado solamente en cosas materiales o si permites que tus emociones te arrastren o si intentas juzgar los valores eternos mediante normas intelectuales limitadas, estás montado en otro de los caballos, y sólo podrás tener problemas.

El defecto fatal del Imperio Romano fue el de estar montado en el Caballo Pálido, y ya sabemos lo que ocurrió con él. Nuestra propia civilización ha estado montada en el Caballo Negro durante cuatrocientos años, y todos conocemos los resultados. Sin embargo, creo que la humanidad ya está preparada –o casi– para montarse en el Caballo Blanco, y todos debemos contribuir a que lo haga con todos nuestros medios a través de la oración y del ejemplo personal. El Jinete del Caballo Blanco cabalga conquistando y para conquistar.

Así es, pues, cómo esta hecha la naturaleza humana, tal como la conocemos. Parece que constemos de cuatro elementos, pero, como cualquier estudiante de metafísica, tú sabes que sólo uno de ellos es auténtico y eterno, el cual, por supuesto, no es sino tu naturaleza espiritual. Algún día te darás cuenta de ello, momento en que los demás elementos se desvanecerán y convertirán en nada, dejándote totalmente espiritual, completo y perfecto. Sin embargo, eso no va a ocurrir todavía y, hasta que ocurra, tendrás que comprender tu cuádruple naturaleza para llegar a controlarla.

También la Biblia nos habla, aunque de otras maneras, de esta constitución cuádruple del hombre. Por ejemplo, las cuatro bestias del Apocalipsis[6] no son en realidad sino los cuatro caballos, aunque tratados de una manera diferente y más interesante. Nos encontramos con un león, un ternero (o buey o toro), un tercer animal con cara humana y un águila volando.

En este caso, la segunda bestia, "parecida a un ternero", representa el cuerpo y, en general, el plano físico. Es la que ocupa el lugar del Caballo Pálido. La tercera bestia, "con cara de hombre", representa a la inteligencia o al Caballo Negro. Es tradicional que el rostro –y, en especial, la frente– represente a la inteligencia, al igual que el corazón representa los sentimientos. La cuarta bestia, "el águila volando", representa a la naturaleza emocional o al Caballo Rojo. La primera era "como un león" y representa a la naturaleza espiritual, es decir, al Caballo Blanco.

Estas diferentes referencias bíblicas no son simples repeticiones o reafirmaciones, ya que cada una de ellas trata el tema desde un ángulo ligeramente diferente, dotándonos, por lo tanto, de un conocimiento más profundo. Por ejemplo, vemos que aquí la naturaleza emocional viene representada por un águila. Esta es la representación de Escorpio en el Zodíaco, y Escorpio puede ser representado por un reptil (a veces, un escorpión; a veces, una serpiente) o por un águila. De nuevo nos encontramos con que la lección a tener en cuenta es que la naturaleza emocional tiene que ser redimida mediante la transformación de lo inferior en superior, para que lo que una vez fue reptil que se arrastraba se convierta en águila que planea en las alturas. Sólo así podrás dominarlo. Como puedes ver, ésta es una afirmación

---

6. Apocalipsis 4:6-9; Ezequiel 1:10, 10:14

mucho más elevada y completa sobre el tema que la simple comparación con un Caballo Rojo, aunque esta última era, para empezar, útil y llamativa.

Es interesante hacer notar llegado este momento que el símbolo de un águila con una serpiente en el pico (conquistando a la serpiente) se sigue empleando en Méjico. Una antigua leyenda azteca decía que, cuando el pueblo entrase en la nueva tierra (el Méjico moderno), debería seguir andando hasta encontrarse con un águila devorando una serpiente. En aquel mismo lugar deberían edificar su ciudad, y así fue como fue elegido el lugar que ocupa la Ciudad de Méjico de nuestros días.

No hay duda de que los aztecas tomaron esta leyenda de sus antecesores de la Atlántida, siendo el significado verdadero el de que La Ciudad –la conciencia real– sólo puede construirse una vez transmutada la naturaleza emocional.

El buey (a veces llamado toro o ternero) constituye obviamente el símbolo del materialismo. Por tradición, se le supone torpe, pesado y tosco, siendo empleado en el Viejo Mundo para la útil aunque poco delicada tarea de tirar del arado. El buey no se eleva como el águila, no piensa como el hombre ni lleva la regia vida de un león.

El león, el rey de los animales, es un excelente representante de la naturaleza espiritual, que corresponde al Caballo Blanco.

Estas cuatro bestias se encuentran en el trono de Dios, donde existe "un mar que parece de cristal". Siempre nos encontramos ante el trono de Dios, aunque no lo sepamos, porque El está en todas partes, y nuestra separación de El, por trágica que nos parezca, es solamente una separación aparente. El mar de cristal quiere decir un mar tan tranquilo como una panel de cristal, siendo él la conciencia que ha conseguido escapar del *miedo,* que ha vencido al buey, tornado el reptil en águila, liberado la inteligencia y entronizado al león.

"Cada una de las cuatro bestias tenía seis alas". En la Biblia, el número seis representa la labor o el trabajo, lo que significa que tenemos que trabajarnos bien la salvación a través de una vigilancia constante en buscar a Dios y en vencernos a nosotros mismos. No debemos esperar impávidos a que Dios venga y lo haga por nosotros, porque no hay logro sin trabajo. Si quieres algo, tienes que luchar por ello. Este significado dado al número seis lo encontraremos en muchos lugares de la Biblia. El número seis viene antes que el siete, y el número siete, en la Biblia, representa la perfección individual en la vida de un hombre así como una demostración particular donde esa demostración es total. Nos encontramos con que los seis días de la creación nos conducen a un séptimo día de logro y descanso, con seis escalones al trono de Salomón, quien representa la sabiduría o la comprensión de Dios; con seis barricas de agua en las bodas de Caná y, naturalmente, con los seis días laborables de la semana que concluyen en el Sabbath.[7]

Las alas posibilitaban a los animales a volar por encima de la tierra, encontrándonos, de nuevo, con seis de ellas, porque la liberación hay que ganársela. Tenemos que buscar a Dios día y noche. El hecho de decir Santo, Santo, Santo es, en lenguaje moderno, constatar la presencia de Dios en todas partes en vez de aceptar la presencia del mal.

"Que fue, es y será" quiere decir que hemos de darnos cuenta de que ya estamos en la eternidad, porque creer en la realidad del tiempo constituye uno de los principales errores que nos mantienen esclavizados.

---

7. Ver Isaías 6.

Las cuatro bestias están "cubiertas de ojos, por delante y por detrás", lo que no es sino otra forma de decirnos que debemos mantener una vigilancia constante en la Práctica de la Presencia de Dios.

Fuera de la Biblia también encontramos numerosas referencias en cuanto a la cuádruple composición del hombre. En el Mundo Antiguo se hacían constantes referencias a las cuatro partes calificándolas de "Elementos", llamando a éstos tierra, aire, agua y fuego. La tierra significaba el cuerpo físico; el aire, la inteligencia; el agua, la naturaleza de los sentimientos, y el fuego, nuestra parte divina o espiritual. Se pensaba que, por muchas razones, era mejor no transmitir abiertamente estos conocimientos al pueblo en general, sino que había que ocultarlos tras el velo de los mencionados símbolos, haciéndose solamente entrega de la llave a aquellos que estaban preparados para ello.

El Zodíaco[8], al que puede denominarse Reloj Cósmico, está dividido de esta manera. De los doce signos, tres pertenecen a cada uno de los elementos, formando de esta manera un gráfico o diagrama pictórico de un hombre.

La idea de estos cuatro elementos viene también expresada en los símbolos tradicionales de los cuatro Evangelios. Mateo está representado por un buey o ternero. Todos conocemos la fama del león de san Marcos. Juan es un águila, y, para representar a Lucas, el símbolo reconocido es el del rostro de un hombre. Esta tradición puede remontarse a tiempos muy primitivos, y las cuatro criaturas mencionadas se muestran cada una asida a su propio Evangelio en muchísimas ilustraciones de manuscritos de la Edad Media así como en las vidrieras de las más antiguas catedrales europeas.

---

8. Ver el capítulo "El Zodíaco y la Biblia."

Aquí es donde conseguimos un desarrollo más profundo de la lección de los cuatro elementos, y precisamente por constituir los Evangelios la más elevada expresión del mensaje de Cristo, ya que estos símbolos nos proporcionan la afirmación final relacionada con el método de superación del hombre.

Mateo toma a la gente tal y como se encuentra con ella en el plano de lo material, asume sus costumbres y tradiciones y, encontrándose con ella en su propio nivel, les da el Evangelio en la manera en que él piensa que es más fácil de recibir. Tanto el cuerpo físico como el mundo material del que ese Evangelio constituye una parte están con nosotros por el momento, y tenemos que aceptarlos y hacer uso de ellos de la mejor manera que podamos. Veréis qué bien se expresa esta idea en el elemento Tierra (buey).

El Evangelio de san Marcos es el más intelectual de los cuatro. Es tan simple, directo y metódico como un despacho militar o un informe de ingeniería; y, sin embargo, está representado por el león, que, como ya hemos visto, representa a la naturaleza espiritual. ¿Por qué esto? El objetivo es el de enseñarnos que la inteligencia tiene que –en último lugar– ser absorbida por la naturaleza espiritual, no para que el intelecto se vea realmente destruido, sino para que pierda sus limitaciones y se convierta en Inteligencia Iluminada. El lector debería aquí tomar nota de la inmensa diferencia entre las palabras inteligencia e intelecto. El intelecto constituye solamente un pequeño y estrecho segmento de la inteligencia. Existen muchas forma de inteligencia que no son intelectuales, aunque el mundo moderno lleve olvidándose de esto desde hace algún tiempo.

El Evangelio de Lucas es el que representa la naturaleza emocional. A menudo es calificado como el Evangelio "humano" en razón a su afable comprensión y tolerancia de la naturaleza humana y por el liberalismo de su postura hacia los gentiles y las mujeres, actitud no demasiado característica de los escritores de la Antigüedad. Sin embargo, este Evangelio está simbolizado por el rostro de un hombre, que, como sabemos, es el símbolo del intelecto, siendo la profunda idea que subyace en este hecho la de que el estudiante en ciernes ha de aprender en primer lugar a que su naturaleza emocional se someta a su intelecto. Tiene que hacer que lo que sepa controle a lo que siente. Después llegará la espiritualización de ambos elementos.

El Evangelio de Juan representa a la naturaleza espiritual y es el más elevado y profundo de los cuatro Evangelios. Está simbolizado no por el león, como podríamos esperar, sino por el águila. Como ya hemos visto, el águila no es sino la naturaleza emocional redimida y purificada, y, cuando se produce esta transmutación, se ve, además, absorbida en la naturaleza espiritual.

Es necesario señalar que, en algunos casos, los símbolos de san Mateo y de san Lucas han sido intercambiados por error, lo que fue realizado, en algún momento, por personas que no entendieron el significado oculto, y consistió, con toda probabilidad, en un error del copista. La reflexión más superficial mostrará que el buey no cuadra con Lucas ni el rostro humano, símbolo de toda la humanidad, corresponde con el punto de vista limitado de Mateo.

Para resumir, tenemos que tomarnos tal como somos ahora mismo, sin autocondenas ni arrepentimientos innecesarios. Tenemos que convertirnos en dueños de nuestro cuerpo y del plano físico en general. Tenemos que hacer que nuestra naturaleza emocional se someta al intelecto para que tanto las emociones como la inteligencia se transformen en algo espiritual. Para la percepción humana, estos procesos se producen simultáneamente y, al terminar, el plano terrenal desaparece de la conciencia y todo se convierte en Espíritu. Esto recibe el nombre de translación, desmaterialización o demostración de la ascensión. Y veréis que la historia viene siendo contada, de manera muy sutil pero muy clara, por los símbolos del Evangelio.

También se hace referencia a los cuatro elementos en la narración de Daniel sobre los tres hombres que fueron arrojados al horno llameante[9]. Ese capítulo constituye una parábola de la naturaleza humana redimida, Los protagonistas sufrieron su suplicio o iniciación con éxito, siendo el resultado la aparición de un cuarto hombre "como el Hijo de Dios". Esa era emergencia de la naturaleza espiritual.

El Libro de los Números, en su Capítulo 2, nos da una extraordinaria visión de los cuatro elementos. Está relacionada con la separación de la Doce Tribus de Israel en el inmenso campamento que rodeaba al Tabernáculo en medio del desierto. El Tabernáculo en el desierto representa el cuerpo y la mente humanos en el momento en que todavía nos encontrábamos en el desierto, lo que quiere decir que habíamos salido de Egipto (no creáis nunca jamás en que las cosas externas tengan auténtico poder sobre nosotros), aunque todavía no habíamos sido capaces de probarlo mediante la demostración de una armonía absoluta en práctica, lo que constituye, naturalmente, el lugar en que se encuentran en la actualidad la mayoría de los estudiantes de Metafísica.

Las Doce Tribus vienen a cuento para corresponderse con los signos del Zodíaco, porque cada una de las tribus

9. Daniel 3:25.

estaba simbolizada por uno de los signos y, cuando se ponía en movimiento, lo llevaba como estandarte o tótem abriendo la marcha.

Puede parecerle extraño al lector el que salgan a relucir aquí los Signos del Zodíaco, pero, como es natural, tenemos que tomar la Biblia tal y como la encontramos. Estas cosas vienen en la Biblia, y nuestra misión es la de interpretar la Biblia en vez de pensar que debiera haber sido escrita de otra manera.

Lucas representa el elemento espiritual (León-Fuego) y está situado "al costado Este mirando la salida del sol"[10]. La tradición quiere que el Este represente a Dios. Las antiguas iglesias cristianas así como la mayoría de templos paganos estaban *orientados*. El altar se encontraba al Este, siendo la costumbre ancestral la de enterrar a los muertos con los pies hacia el Este para que el cuerpo mirase en esa dirección. Por lo tanto, es absolutamente normal que la Biblia pusiese a Judas en el Este.

Rubén[11] representa el cuerpo físico o el Caballo Pálido (Tauro-Tierra). Está situado en el Sur porque es en éste donde brilla el sol (la Biblia fue, por supuesto, escrita para gente que habitaba el hemisferio Norte). La naturaleza espiritual que nace en el Este debe estar enfocada en el cuerpo físico, porque éste tiene que ser redimido. No hay que negar al cuerpo, sino *redimirlo*. Por lo general, las personas religiosas han tenido tendencia a maldecir al cuerpo, y sabemos que, cuando maldecimos algo, este algo se revuelve y crea problemas. La humanidad no debe maldecir al cuerpo, sino redimirlo aprendiendo a mostrar una salud y un autocontrol perfectos. Muchos

---

10. Números 2:3
11. Números 2:10

místicos cristianos han, por ejemplo, desdeñado o cruci-ficado el cuerpo en la esperanza de llegar así a Dios, pero, sin embargo, les faltó el controlarlo.

Rubén, al igual que el Caballo Pálido, representa todas las condiciones materiales y mundanas además de al propio cuerpo. No debemos huir del mundo, sino que te-nemos que aprender a vencerlo[12]. De esta forma, permi-timos que el resplandor de la Verdad brille por encima de las cosas materiales.

Y aquí nos encontramos con otra lección importante. La gente se olvida con demasiada facilidad de que las condiciones materiales están cambiando constantemente y de que lo único permanente es Dios y la expresión de Su propia personalidad. De hecho, todos los acuerdos mundanales así como el propio universo físico son tan inestables como el agua y se desvanecen como si fueran sueños. En los casos de materia sólida, el cambio tarda en producirse mucho más que en el caso de los líquidos, lo que nos lleva a creer un poco que los objetos sólidos son permanentes, pero la verdad es que también ellos están siempre cambiando y desapareciendo. Los edifi-cios, puentes, ciudades, forma de los montes, cuencas de ríos y hasta los propios continentes van y vienen con el decurso de los tiempos. Tenemos que darnos cuenta de que todas las condiciones mundanas, sean buenas o malas, pasan antes o después y de que no puede cons-truirse nada permanente aquí abajo. La maldición de Rubén es tan "inestable como el agua: no la superarás."

Y, acercándonos al costado Oeste, nos encontramos con Efraín[13], quien representa al intelecto. (Acuario-

---

12. Juan 17:15

13. Números 2:18

Aire. Esta es, naturalmente, otra de las fases del Caballo Negro, y sabemos que el sol parece desaparecer por el Oeste, dejándonos en la oscuridad de la noche. Esta es otra de las condiciones que nos impone cabalgar sobre el Caballo Negro. El intelecto también ha de ser redimido por la naturaleza espiritual, porque la luz "sale del Este y va brillando hacia el Oeste."[14]

Y, por fin, tenemos a Dan[15] en el Norte, representante de la naturaleza emocional o, lo que es lo mismo, del Caballo Rojo (Escorpio-Agua). No hace falta repetir lo que ya hemos dicho acerca de la naturaleza emocional y de la necesidad de hacernos con su control. El Norte, en la tradición del ocultismo, representa a la inquietud, el miedo y la falta de armonía en general. Se trata de la región fría y oscura, en contraposición al soleado Sur. En las condiciones en que actualmente se encuentra la humanidad, la vida del hombre está gobernada por su naturaleza emocional, y así debe reconocerlo éste. No hay acción sin emoción. Los pensamientos equivocados, si no van acompañados por miedo o malestar, no causan daño alguno a quien los tiene. Son estériles. Los pensamientos o tratamientos correctos pero carentes de sensación no se demuestran. Están vacíos. Lo que importa es la naturaleza sensitiva, aunque, sin embargo, la naturaleza de las emociones es lo último que los seres humanos medios intentan conseguir. El hombre se preocupará mucho más por la salud de su cuerpo. Hará los mayores sacrificios para conseguir una educación para su intelecto. Buscará a Dios o, al menos, reconocerá la religión, aunque sea a la ligera. Y, sin embargo, no con-

---

14. Mateo 24:27
15. Números 2:25

seguirá entender o se negará a reconocer el hecho de que, para conseguir cualquiera de estos fines, deberá aprender a controlar sus sentimientos. Lo que hace es situar el tema en el "frío Norte".

Hay un punto importantísimo en la forma en que la Biblia trata a Dan. Le omite en la triunfante reunión final de las tribus en el Libro del Apocalipsis[16]. En ese día –el día en que el hombre logra la realización de Dios– la naturaleza emocional inferior habrá sido eliminada por completo, y la naturaleza emocional superior se unirá con la espiritual. Así que Dan desaparece por completo. José, en su lecho de muerte, decía: "Dan juzgará a su pueblo... Dan será una *serpiente* en el camino, un áspid en el sendero, que morderá al caballo en sus patas para que su jinete caiga de espaldas"[17]. La naturaleza emocional inferior es la que constituye la perdición de la inmensa mayoría de la gente. Muerde en "las patas", o punto vulnerable del carácter, aquel que hace que el individuo "muerda el polvo". Y sabe a gloria saber que, al final, Dan desaparece.

La cuádruple naturaleza del ser humano era enseñada en el Antiguo Egipto por medio de la Esfinge, habiendo heredado los egipcios esta idea de una civilización anterior. Fueron numerosas las civilizaciones antiguas del mundo que nuestros arqueólogos desconocen todavía. El hombre lleva viviendo en sociedades organizadas durante decenas de miles de años, aunque hayan desaparecido todas las huellas de esas civilizaciones. En su origen, la Esfinge procedía probablemente de la Atlántida y realmente consistía en el cuerpo de un animal (Tierra-Tauro) con rostro

---

16. Apocalipsis 7:4-8
17. Génesis 49:16-17

humano (Aire-Acuario). Tenía alas de águila (Agua-Escorpio) y llevaba en la frente el signo sagrado –el Ankh–, que representa al espíritu, la Vida eterna (Fuego-Leo).

Los griegos, siglos después, copiaron la Esfinge, aunque, al desconocer la importancia oculta de su simbolismo, la cambiaron en algunos casos para que se adaptase a sus preferencias artísticas, haciéndola lucir pechos de mujer e introduciendo otras alteraciones. La leyenda de Edipo se refiere a la ciudad de Tebas que está en Grecia y no tiene nada que ver con la Esfinge auténtica y original, que es egipcia.

Los lectores modernos se verán especialmente interesados en tomar nota de que en el exterior del gran Templo del Sol, en Heliópolis, donde Moisés era sacerdote[18], se levantaban cuatro grandes obeliscos que enseñaban la misma lección de los cuatro elementos. Los sacerdotes los tenían que ver cada vez que salían o entraban, implicando el emplazamiento de los obeliscos allí mismo, en la entrada, que esa lección constituía la puerta de entrada al conocimiento de Dios. En los siglos subsiguientes, las columnas se han ido esparciendo por muchos lugares y, tras un buen número de traslados, una de ellas se encuentra hoy en día en Central Park, Nueva York; otra, en Londres, en uno de los muelles del Támesis; una tercera, en Estambul, y la cuarta permanece todavía en el mismo lugar donde fue levantada, aunque haya desaparecido la menor huella del templo. Es imposible no sentir un escalofrío de interés cuando se contempla la "aguja de Cleopatra", como se le conoce erróneamente, al pasearse por Central Park y darse uno cuenta de que el mismo Moisés miró con frecuencia este obelisco.

_____

18. Hechos 7:22

Así que nos encontramos con la misma historia contada una y otra vez tanto en la Biblia como fuera de ella. La Mente Divina ha venido inspirando durante siglos con esta verdad a determinadas personas, entre las que me encuentro yo mismo, porque constituye la base de todo crecimiento espiritual. La lección más importante que podáis aprender es la de vuestra propia naturaleza, porque entenderla perfectamente es contar con el poder de controlarla. Pitágoras mandó escribir sobre la puerta de su escuela: HOMBRE, CONÓCETE A TI MISMO, y la Biblia nos enseña cómo hacerlo.

El esclavo y el libre

Porque está escrito que Abraham tuvo dos hijos, uno engendrado por una esclava, y otro por una mujer libre.

"Pero el que era hijo de la esclava nació de la carne, mientras que el otro lo hizo por una promesa.

"ESTAS COSAS CONSTITUYEN UNA ALEGORÍA: porque estos son los dos pactos; uno, del Monte Sinaí, el cual engendró en la esclavitud, la cual es Agar.

"Porque esta Agar es el Monte Sinaí de Arabia, y respondió a Jerusalén, que está esclavizada junto a sus hijos.

"Pero la Jerusalén que está arriba es libre, y es la madre de todos nosotros."

Gálatas 4:22-26

El libro del Génesis

Génesis quiere decir origen o comienzo, y éste, el primer libro de la Biblia, explica cómo las cosas y las condiciones comenzaron a existir. La fuerza creativa del universo es el pensamiento. Cualquier cosa tiene que ser primeramente pensada por alguien para poder existir, por lo que la creación no es sino la expresión concreta del pensamiento.

El Génesis trata de esta fuerza creativa del pensamiento. La primera parte, que consiste en el Capítulo I y de tres versículos del Capítulo II trata del pensamiento en general. El Capítulo II, que es el que más nos interesa en este ensayo, nos cuenta la historia de Adán y Eva y trata del pensamiento específico o de cómo una persona (por ejemplo, tú, lector) construye todas las condiciones que existen en su vida.

La parte siguiente, relativa a Caín y Abel, la Torre de Babel, el Diluvio, la historia de Abraham y la de José y sus hermanos, trata de distinta maneras de la fuerza creadora del pensamiento mostrando cómo constituye la gé-

41

nesis de todas las cosas que existen. El Libro del Génesis es en parte alegórico y en parte histórico, aunque, como siempre ocurre con la Biblia, las partes históricas son también alegóricas.

El objetivo de la Biblia es enseñar psicología y metafísica o, lo que es lo mismo, la Verdad Espiritual, para que sepamos cómo vivir correctamente, y la razón por la que utiliza alegorías y parábolas es para que cada uno de nosotros pueda recibir la enseñanza en el punto de desarrollo en que se encuentra. Si la Biblia debe servir para algo, todas esas parábolas deben ser interpretadas espiritualmente.

A no ser que conozcas el significado espiritual que se oculta tras la historia, no conocerás nada de la Biblia; solamente tendrás la "letra que mata" y carecerás del "espíritu que da la luz". San Pablo, en la cita mencionada anteriormente, compara a quien sólo tiene la letra con la esclava, y al que posee la interpretación espiritual, con la mujer libre.

La interpretación espiritual de la Biblia nos hace libres enseñándonos cómo aportar salud y armonía a nuestras vidas mediante una comprensión cada vez mayor de Dios. El trato del Sinaí, necesario y bueno en su plano, significa el intento de poner las cosas en orden desde el exterior, lo cual, como es natural, es mucho mejor que la anarquía, aunque quien se encuentra en el camino de la espiritualidad debe ir más allá, debe llegar a la Jerusalén espiritual, que no es otra cosa sino la puesta en orden de las cosas desde el interior mediante la Práctica de la Presencia de Dios. Esta es la nueva Jerusalén que desciende directamente del Dios de los Cielos[1].

---

1. Apocalipsis 3:12; 21:2; 21:10

El estudio de la clave espiritual de la Biblia hace que nuestra conciencia cambie a mejor, siendo esta elevación de la conciencia la que nos posibilita la revelación superior.

Una vez que el Génesis ha explicado la fuerza creativa del pensamiento, los demás Libros de la Biblia continúan la tarea ilustrando la forma en que las leyes del pensamiento funcionan en diferentes circunstancias. Sin embargo, es el Génesis el que constituye la base de todo.

Los siete días de la creación

El Capítulo I del Génesis traza un plan básico para toda la revelación proporcionada por las Sagradas Escrituras. Este Capítulo y los tres primeros versículos del Capítulo II constituyen, en realidad, una sola parte que consiste en un sumario de las leyes que rigen el pensamiento. Se trata, por lo tanto, de un tratado sobre las naturalezas psicológica y espiritual del hombre y explica lo que denominamos demostración o respuesta a la oración. No pretende ser una historia de la formación del sistema solar ni del universo de las estrellas.

En tanto que obra literaria, la historia es sublime; magnífica en su alcance, en su profundidad de pensamiento y en las inalcanzables alturas de comprensión espiritual a que llega. Muestra a la humanidad como una raza, en la que cada uno de sus individuos llega personalmente a un conocimiento de la omnipotencia, omnipresencia e infinita bondad de Dios.

El tratado se divide en siete partes o en los siete días de la creación, lo que expresa los siete estadios que atraviesa el pensamiento para pasar del error a la verdad.

En el principio estaba la oscuridad o ignorancia de todas las grandes verdades en que realmente consiste la única Verdad. Poco a poco, se fue haciendo la luz, pálida, al principio, pero poco a poco más intensa hasta convertirse en una realización cada vez más clara.

Lo que denominamos naturaleza no es sino la silueta de una parte de la creación espiritual de Dios. Es verdad que, a veces, no interpretamos correctamente lo que vemos o que lo vemos de forma distorsionada, aunque, a medida en que, poco a poco, va incrementándose la luz, esos errores van desapareciendo paulatinamente hasta que se llega a comprender la verdad auténtica. El proceso se nos renueva con el símbolo constante del amanecer de cada nuevo día. Al principio, sólo tenemos oscuridad; después, el primer destello de luz, y, a continuación, la aurora, cada vez más deprisa hasta sumirnos en el nuevo día.

También podemos ver que ésta es la historia de la llegada de cada individuo al conocimiento de la Verdad espiritual. En primer lugar, la persona comienza con la creencia en la limitación y separación, llegándole después, en algún momento y mediante algún medio, la Verdad, y evolucionando poco a poco desde un pequeño principio hasta alcanzar la comprensión total.

De nuevo nos encontramos con que ésta es la historia de todas las demostraciones individuales. Cuando se soluciona alguna dificultad o se llena satisfactoriamente alguna laguna ya sea a través de la oración, ya mediante el tratamiento espiritual, llamamos a este hecho una demostración porque demuestra la ley de la armonía universal. Bueno, pues aquí seguiremos el mismo proceso. Primeramente, la sensación de limitación, y, a continuación, el retorno a Dios y la paulatina realización de Su presencia que la realización va aumentando hasta que desaparece la inquietud.

En el principio, Dios creó el cielo y la tierra. (Génesis 1:1)

La Biblia comienza diciéndonos que Dios es el Creador y el inicio de todas las cosas. Las cuatro primeras palabras de la Biblia son: *En el principio, Dios.* Aquí se nos da una gran lección, porque cualquier empresa basada en este principio deberá tener éxito en todos los órdenes.

Todos somos sabedores de que Dios está fuera de lo que denominamos "tiempo" y de que *el lugar en que reside es la eternidad*[1]. Por lo tanto, la verdad absoluta es que el universo –incluidos nosotros– está siendo creado de nuevo todo el tiempo. *Mirad cómo lo renuevo todo*[2]. Sin embargo, mientras estamos en esta tierra, todos creemos –al menos en nuestro subconsciente– en la realidad y en la fuerza del tiempo, con lo que, por lo menos, en los términos en que pensamos los humanos, creemos en Dios como el *principio* de todas las cosas.

Y la tierra no tenía forma y estaba vacía, y las tinieblas llegaban hasta las profundidades. Y el espíritu de Dios se movía por encima de la superficie de las aguas (Génesis 1:2).

Dios es el creador de todas las cosas y, por tanto, todas las cosas existentes constituyen realmente Su expresión y deben reflejar –como, de hecho, hacen– Su perfección. Esta es la Verdad, aunque, como muy bien sabemos, el hombre no se da cuenta de ella al principio. El hombre emplea negativamente su imaginación para construirse todo tipo de ideas limitadoras y para producir toda suerte de temores que, aunque, en realidad, carezcan de base, tienen el poder de causarle infinidad de sufrimientos mientras él

---

1. Isaías 57:15.
2. Apocalipsis 21:5.

crea que son reales. Dios posee una existencia independiente muy sustancial, lo sepamos o no, mientras que el mal sólo posee la existencia que le concedamos al creer en él. Mientras creamos en él, da la impresión de ser tan real como si fuese verdad, de igual manera que un niño en su pesadilla sufre tanto de momento como si sus sueños fuesen reales. *Dios ha hecho al hombre derecho, pero ha buscado muchos inventos*[3].

Esta es la causa por la que el hombre vive en la ignorancia y el miedo, pero llega un día en que la Verdad del Ser comienza a iluminarle –el espíritu de Dios se mueve por encima de la superficie de las aguas– y es en ese momento cuando da comienzo su historia real.

Hay que señalar aquí que el espíritu de Dios se mueve por encima de la superficie de las aguas. El agua, en la Biblia, representa la mente humana –el intelecto y los sentimientos–, aunque en la práctica sea la naturaleza de los sentimientos lo más importante. Es cuando los sentimientos son tocados cuando ocurre algo.

El texto dice sobre la *superficie* de las aguas. La superficie representa la fuerza del reconocimiento. Por regla general, solemos reconocer a la gente por sus rostros –su superficie facial–, y la llegada de la luz es el reconocimiento de la Verdad.

PRIMER DÍA

Y Dios dijo: Que se haga la luz. Y la luz se hizo.

Y Dios, al ver la luz, dijo que era buena. Y Dios separó la luz de las tinieblas (Génesis 1:3-4).

---

3. Eclesiastés 7:29.

Lo primero que este amanecer de la comprensión hace por el hombre es mostrarle que existe una diferencia entre la Verdad y el error. Ahora ya sabe –aunque, al principio, de una forma muy vaga– que no todas las experiencias son igual de auténticas. Este es uno de los dos o tres pasos más importantes de toda su historia. Después de esto, el miedo ya nunca podrá afectarle con la misma fuerza. En toda la Biblia, esta experiencia recibe el nombre de "Primera Resurrección", porque el hombre se levanta de la tumba de una existencia que carecía del conocimiento de Dios.

Y Dios llamó a la luz Día, y a las tinieblas, Noche. Y el atardecer y la mañana constituyeron el primer día (Génesis 1:5).

Y, ahora que el hombre ha comprendido el hecho de que no todas las experiencias son igual de auténticas, comienza a entender, aunque sea de forma imperfecta, que lo bueno es poderoso, y que el error, no. Entonces, por un pensamiento activo correcto, haciendo uso de su intuición y su razón, puede separar el trigo de la paja. Lo bueno, consistente en la Verdad de cualquier cosa, recibe aquí el nombre de *día*, y el error, junto con el miedo con el que lo relacionamos, recibe el nombre de *noche*.

Por todo ello, el Primer Día representa la aurora de la conciencia espiritual. En la Biblia, el atardecer representa las limitaciones, el miedo, la desazón o la carencia de algo necesario, y la mañana representa el logro. El mundo suele ponerlo al revés y pensar que el atardecer constituye el logro, culminándolo, de hecho, en la inconsciencia del sueño. En la Biblia, la caída de la tarde que conduce a las tinieblas de la noche constituye un estado erróneo al que debe renunciarse. El crepúsculo es solamente media luz o menos, y el hombre debe atravesarlo hasta llegar a la gloria de la aurora.

SEGUNDO DÍA

Y Dios dijo: Que se haga el firmamento en medio de las aguas y que se separen unas aguas de otras.

Y Dios hizo el firmamento y separó las aguas que estaban bajo el firmamento de las que estaban sobre él. Y así se hizo.

Y Dios llamó al firmamento Cielo. Y la tarde y la mañana se hicieron el segundo día (Génesis 1:6:8).

El firmamento significa la comprensión. Por muy débil que fuese la aclaración del Primer Día, el hombre ya ha alcanzado un principio de comprensión. Conocer, aunque sea vagamente, que el error no es sino ilusión y que carece de fuerza constituye su pasaporte para el paraíso. Ya sabe lo suficiente como para, por así decir, sacar el error a la luz. Ya no le dará voluntariamente lugar en su esquema de las cosas. No cree conocer todavía demasiado sobre la Verdad, pero sí que puede alcanzar el conocimiento y que encontrará que no tiene nada que ver con el mal.

Para entender este símbolo, necesitamos saber que los antiguos creían que el cielo era literalmente una bóveda –hecha, probablemente, de algún tipo de metal– colocada sobre la tierra como un gran tejado. El escritor de la Biblia llama a esto el firmamento y lo utiliza como símil para su mejor comprensión. Por ello, las aguas que están fuera del firmamento (fuera de los límites) significan error, miedo o falsas creencias de cualquier tipo. Debajo –o dentro– del firmamento (bajo la ley) está el ser humano, el cual ha recibido los primeros destellos de aclaración. Ya sabe, como ya hemos visto, que las apariencias con constituyen necesariamente realidades y que no hay que temerlas. Se da cuenta de su gran tendencia a crearse ilusiones solo y entiende que hay que echar esas ilusiones fuera de los límites.

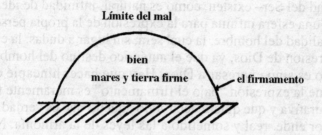

Límite del mal

bien

mares y tierra firme

el firmamento

Conoce que él mismo se encuentra dentro de los límites y que toda la Verdad –y sólo la Verdad– está dentro de los límites. Así comienza su liberación, se inicia su regeneración y, aunque le cueste gran trabajo probar, mediante demostración, la iluminación que ha recibido, el hecho es que la ha recibido. Sabe que existe una escapatoria y ya nunca más dará credibilidad total al error. Desde ese momento, toda su actividad mental se verá enfocada al estudio de la Verdad.

El resto del capítulo trata de la constante y cada vez mayor realización de la Verdad; por ello, las aguas del exterior del firmamento desaparecen de la narración.

TERCER DÍA

Y dijo Dios: Que las aguas que se encuentran bajo el firmamento se reúnan en un sitio, y que aparezca la tierra seca. Y así se hizo.

Y Dios llamó a la tierra seca Tierra, y a la unión de todas las aguas, Mares. Y Dios vio que aquello era bueno (Génesis 1:9-10).

Bajo el firmamento –o dentro de los límites de la Verdad del Ser– existen, como es natural, infinidad de ideas y una esfera infinita para la expresión de la propia personalidad del hombre, la cual será, sin lugar a dudas, la expresión de Dios, ya que el auténtico destino del hombre no es sino expresar a Dios. Hay que hacer hincapié en que la expresión "bajo el firmamento" es meramente figurativa y que quiere decir todo aquello que es verdad y, por ende, real y sometido a las leyes de la armonía. No quiere decir en absoluto cerrado o circunscrito. Por muy grande que podamos imaginarnos la supuesta cúpula, siempre consistiría en un área limitada si la tomásemos literalmente. "Bajo el firmamento" es el universo infinito de la creación perfecta de Dios.

Como es obvio, hasta la persona más desarrollada ha demostrado de hecho aunque sólo sea una diminuta parte de la Verdad disponible y *conoce* la existencia de otras verdades; es decir, conoce intelectualmente la existencia –dentro de la medida en que uno puede conocer– *de* un país que no ha visitado o *de* una hermosa pieza musical que todavía no ha oído. Al país que ha visitado y a la música que ha oído los conoce no sólo intelectualmente, sino por experiencia. La Verdad que hemos demostrado estar experimentando, porque la realización no es sino experiencia. Todos somos conocedores *de* numerosas verdades espirituales que todavía no hemos sido capaces de demostrar. Por ejemplo, sabemos intelectualmente que nuestros cuerpos son espirituales y perfectos, habiendo, muchos de nosotros, tenido extraordinarias curaciones como resultado de ese conocimiento, aunque ninguno de nosotros se haya dado cuenta no ya completa de ello, sino ni siquiera en un alto grado. Sabemos intelectualmente que moramos en la eternidad, aunque todavía nos encontremos bajo la limitación creencia-tiempo y, por el momento, no nos quede más remedio que respetarla. Todos sabemos *intelectualmente* que formamos una unidad con Dios, aunque nadie se vea totalmente libre de temores y dudas como se verá cuando llegue la realización. Todas éstas constituyen verdades *de* las que somos sabedores, pero que hemos demostrado sólo de forma parcial; y, por supuesto, además están las otras.

Sin embargo, todos sabemos también que, en el universo de Dios, existen infinidad de ideas espirituales, infinidad de glorias de las que no podemos hacernos ni la más leve idea en el momento actual. Nuestro trabajo con miras a la eternidad es el saber cada vez más de estas maravillosas verdades.

En el versículo de que tratamos, "tierra seca" significa la Verdad que hemos realmente demostrado y, por lo tanto, experimentado. Ya vimos anteriormente que realización y demostración son lo mismo, lo que quiere decir que, en cuanto uno se da cuenta de la verdad espiritual relacionada con cualquier dificultad o carencia, dicha dificultad será por seguro vencida, y la carencia, subsanada. A veces, se produce un lapso o retraso entre la realización y la aparición de la solución, pero ese lapso de tiempo no es nunca muy largo. A menudo, la realización sólo se encuentra en la mente subconsciente, en cuyo caso no somos todavía conscientes de si el trabajo ha terminado. Cuando oramos o tratamos de sanar a alguien, es natural que esperemos que Dios actúe (si no, sería una estafa de tratamiento), pero, en esos casos, no contamos con la certeza consciente de que el trabajo se ha realizado hasta que el resultado sale al exterior.

A veces, la realización llega a la mente consciente además de a la subconsciente, y nos sentimos invadidos por una maravillosa sensación de paz y satisfacción –la paloma se posa–; es entonces cuando nos damos cuenta de que el problema ha sido resuelto sin que aparezca la solución. Ocurre a veces, incluso después de que se haya posado la paloma, que el problema parece ir a peor durante algún tiempo, pero, como ha sido la paloma la que ha venido a ti y te ha susurrado la verdad, sabes que todo irá bien. Y siempre va bien. En tales casos, nos encontraremos con que cuando la aurora cubre todo lo relacionado con la situación, ésta estará en muchas mejores condiciones de las que se encontraba cuando surgió la crisis (antes del crepúsculo vespertino), y tú te alegrarás –o tu paciente se alegrará– de que haya surgido esa dificultad, por el gran paso en la comprensión que os ha capacitado a dar tanto a él como a ti.

Técnicamente, el cambio en tu consciencia es la "demostración", mientras que el cambio efectuado en la imagen externa es el "signo", palabra con la que nos encontramos sumamente familiarizados en los evangelios.

Las aguas y mares que se mencionan en el texto representan toda la Verdad o todas las ideas espirituales que el individuo no ha demostrado aún. Estas palabras incluyen las ideas *de* las cuales es conocedor así como las infinitas ideas relacionadas con aquello de lo que todavía no sabe nada excepto que existen miríadas de glorias aún desconocidas. Más en concreto, la palabra "mares" se refiere a las verdades espirituales *de* las que el individuo es sabedor.

Y Dios dijo: Que crezca la hierba sobre la tierra, y que las hierbas produzcan semillas, y que los árboles frutales produzcan los frutos que les correspondan, y que éstos contengan sus propias semillas sobre la tierra. Y así se hizo.

Y la tierra dio hierba, y las hierbas produjeron semillas, y los árboles dieron frutos que encerraban sus semillas. Y Dios vio que era bueno.

Y el día y la noche fueron creados en el tercer día (Génesis 1:11-13).

Al llegar aquí, podemos ver que el hombre ha comenzado a orar porque ahora ya sabe que Dios existe, y posee cierta idea por débil que sea, del poder y de la bondad de Dios. Ha aceptado el hecho de que todo lo que le da la impresión de experimentar no es *verdad*; de que lo bueno es verdadero y real, y de que lo malo es temporal y puede destruirse cuando uno sabe cómo. Hasta este mismo conocimiento, por pequeño que pueda parecer, revoluciona su vida. Sacude el edificio del error de igual modo que un terremoto sacude un edificio endeble. Una enorme cantidad de miedo y de dudas desaparece de su subconsciente, y *comienza a aparecer la curación*.

La condición que está remediando comienza a mejorar. La mejora, al principio, no parece ser muy importante, pero cualquier cambio implica el principio del final y, a pesar de ser pequeña, estimula su fe.

Todo esto viene descrito en el texto como la aparición de la vida vegetal sobre la tierra seca. Por supuesto que la vida vegetal es vida, pero vida de una forma muy limitada. Las cosas que crecen pueden desarrollarse en el lugar en que han sido plantadas, pero no pueden moverse por la superficie de la tierra –están enraizadas, sujetas a la tierra– y ni siquiera cuentan con nada susceptible de ser comparado con el grado de conocimiento que poseen incluso las formas más ínfimas de auténtica vida animal. Cuando la tierra seca fue separada de manera definitiva del agua, ya estaba preparada para dar vida, aunque, de hecho, era todavía estéril, y es ahora cuando empieza a hacer su aparición la vida vegetal. El Cristo que llevamos dentro sabe que se acerca la libertad y se regocija. Dios ve que es bueno.

Cuarto Día

Y Dios dijo: Que se haga la luz en el firmamento de los cielos para separar el día de la noche, y que formen signos y estaciones y días y años.

Y que se hagan luces en el firmamento de los cielos para iluminar la tierra. Y así se hizo.

E hizo Dios dos grandes luces; la mayor de las dos, para dominar el día, y la menor, para dominar la noche. Y también hizo las estrellas.

Y Dios las colocó en el firmamento de los cielos para iluminar la tierra.

Y para dominar el día y la noche y para separar la luz de las tinieblas. Y Dios vio que era bueno.

Y, en el cuarto día, creó el día y la noche (Génesis 1:14-19).

A medida que –con la disminución del temor– la demostración va en aumento, el hombre va confiando cada vez más en la Verdad del Ser. Se da cuenta especialmente de que no es él solo quien, con su limitada personalidad, realiza el trabajo y de que de esa forma no lo podría realizar jamás. Ve que sus propios esfuerzos (confiando en sus propios intelecto y voluntad) no le conducen a nada y que, de hecho, tiene que conseguir ayuda externa. Sólo alguien muy tonto intentaría rezarse a sí mismo. Esta es la razón por la que, en esta etapa, el texto bíblico abandona la tierra y se sale de ella para acercarse a los cuerpos celestes.

Vemos ahora que el hombre trabaja para incrementar su comprensión de Dios. Sabemos que existen Siete Aspectos Principales de Dios, susceptibles de ser conocidos por la humanidad en su actual grado de desarrollo, y de ellos, la Vida, la Verdad y el Amor son los principales[4]. La Vida constituye en sí misma el ser o la existencia y, para el objetivo práctico de sanar, que no es, después de todo, sino el esfuerzo por conocer la Vida más correctamente, la Verdad y el Amor constituyen los aspectos genéricos más importantes. En este texto vienen citados bajo la forma de las luces mayor y menor. El de cuál sea una u otra depende por lo general de cada persona. Existen personas que han desarrollado una mejor comprensión de los lados Verdad o Inteligencia de la Vida que del lado Amor, constituyendo para ellas esos aspectos la luz más poderosa. Otras han desarrollado la comprensión del Amor de Dios con mayor profundidad que del lado Inteligencia o Verdad de Su naturaleza, siendo para ellos el Amor Divino la luz más potente. Señalemos que la Inteligencia es especialmente una expresión de la Verdad y que podría decirse de ella que constituye la Verdad en acción.

A medida que transcurre el tiempo y como es natural, deberíamos intentar desarrollar nuestra comprensión de ambos aspectos por igual, logrado lo cual habríamos alcanzado la perfecta sabiduría, porque sabiduría es el equilibrio correcto entre Inteligencia y Amor y, por lo tanto, constituye una cualidad compuesta. La Fe (no la creencia a ciegas, sino la fe capaz de comprender) podría ser definida como la sabiduría en acción.

Esta diferencia entre la luz mayor y la luz menor se ve a veces con mayor claridad en la curación de alguna dificultad en concreto. Un problema puede necesitar de la realización de la Verdad y de la Inteligencia en vez de la del Amor sin tener nada que ver con cuál de ellas es la que más desarrollada tiene el propio sanador. Cuando tiene uno que enfrentarse a mucho miedo o ira, uno

---

4. Ver capítulo "Los Siete Aspectos Principales de Dios."

debiera intentar realizar el Amor Divino. Donde existe confusión, incomprensión o estupidez, son la Verdad y la Inteligencia las que debieran realizarse.

En la Biblia, "noche" expresa con frecuencia lo que hoy denominamos mente subconsciente. Ya vimos anteriormente que necesitamos desarrollar más el ala de la vida que más débil tengamos –Amor o Inteligencia– hasta que se fortalezca tanto como la otra. A medida que avancemos en esta tarea, iremos aclarando nuestro subconsciente a una gran velocidad o, lo que es lo mismo, iremos desarrollando rápidamente nuestra sabiduría.

La sabiduría es la clave de la armonía en la vida, porque el pensar sensatamente, produciendo palabras y hechos sabios, sólo puede dar como resultado algo bueno, y puesto que, como ya hemos visto, podemos comparar la fe con la sabiduría en acción, podemos también ver que la fe es el secreto de la vida, porque se te dará según tu fe.

Esta verdad de que la Sabiduría y la Fe constituyen los aspectos estático y dinámico, respectivamente, de lo mismo nos proporcionará una más detallada consideración posterior.

Y también hizo las estrellas. El hombre contempla las estrellas físicas con asombro y admiración, aunque ni siquiera en nuestros días conozca mucho sobre ellas. Sin embargo, el mero hecho de verlas como simples puntitos de luz constituye una incomparable fuente de inspiración y aliento. Por ello, en el texto, las estrellas representan aquellas gloriosas verdades espirituales que hemos vislumbrado vagamente pero de las que, hasta el momento, tenemos pocos o ningún conocimiento. Sabemos de una manera vaga y general que esas verdades existen. Captamos algo de su belleza, pero, de momento, eso es todo. Su importancia para nosotros radica en la mayor amplitud de panorama y estímulo emocional que pueden proporcionarnos.

Por lo tanto, las luces en el firmamento simbolizan el crecimiento de nuestra comprensión, ya que, en las Escrituras, la luz es un símbolo empleado muy corrientemente para designar la verdad, de la misma manera en que la oscuridad representa al error.

Por regla general, en la Biblia, cada símbolo posee varios significados, distintos pero suplementarios. Por esta razón, esas "luces" no sólo nos proporcionan más comprensión, sino que al mismo tiempo nos enseñan la lección concreta de *orden*. "El orden es la primera lección de los cielos"[5]. Tanto nuestro trabajo espiritual como nuestras actividades materiales deberían ser llevados a cabo con regularidad y ordenadamente. Las estaciones, los días y los años se refieren a la ordenada manera en que la naturaleza se despliega ante nuestros ojos: *signos, estaciones, días y años*. Los signos aquí referidos son los del Zodíaco[6].

El lector se habrá dado cuenta seguramente de que, a través de toda la Biblia, "la tierra" significa manifestación o expresión y representa nuestro cuerpo, nuestro hogar, nuestro negocio y, en general, el ambiente en que nos movemos.

QUINTO DÍA

Y dijo Dios: Que las aguas traigan en abundancia animales que se muevan y tengan vida y aves que puedan volar por encima de la tierra en el firmamento abierto del cielo.

---

5. Milton.
6. Ver Capítulo "El Zodíaco y la Biblia".

Y Dios creó grandes ballenas y todas y cada una de las criaturas que se mueven, que fueron traídas en abundancia por las aguas según su especie, y cada una de las aves aladas según su especie. Y Dios vio que era bueno.

Y Dios las bendijo diciendo: Sed productivas y multiplicáos y llenad las aguas de los mares. Y que las aves se multipliquen sobre la tierra.

Y, en el quinto día, Dios creó el día y la noche (Génesis 1:20-23).

Aquí hacen su primera aparición criaturas con conciencia de sí mismas. La limitada vida del reino vegetal da paso a la mucho más libre y trascendental existencia de los peces y las aves, animales que se mueven, como menciona el texto. Las vidas de estas criaturas y los tipos de experiencias de que gozaron, por limitados que nos parezcan, constituyen un enorme avance sobre los de los árboles y plantas, como veremos si pensamos sólo un poco.

Los eruditos hebreos nos hablan de que se emplea aquí por primera vez en el original del texto una palabra extraordinaria, la palabra *nephesh*. Esta palabra implica una vida con conciencia de sí misma y, por lo tanto, no se utiliza en relación con la vida vegetal que se produjo el tercer día. Pero la palabra *nephesh* tiene un significado complicado que incluye tanto la idea de la inspiración como la idea del fuego, que sabemos que siempre ha sido, desde los tiempos más remotos, el símbolo del espíritu, de lo que es eterno y divino. La gente que vivió en tiempos del Antiguo Testamento pensaba que la sangre era el vehículo del *nephesh*, razón por la que la Biblia utiliza con tanta frecuencia la sangre como metáfora del *nephesh*. Por ejemplo, en la historia del asesinato de Abel[7], se representa a

---

7. Génesis 4:10.

Dios diciendo: "La voz de la *sangre* de tu hermano ha clamado hacia mí." Y otra vez, en la historia del Éxodo (Capítulo 12), se rocían con *sangre* los dinteles y las jambas de las puertas para proteger a los israelitas del ángel destructor. En otro lugar,

La Biblia dice:"La sangre es vida." En el Nuevo Testamento se utiliza la sangre de Jesús para simbolizar el espíritu y fuerza de la verdad que enseñaba. Ello implica que es la oración –o la realización en cierto grado de la verdad espiritual– la que nos salva en las horas de peligro. El dintel de la puerta es, como es natural, la entrada de la casa (la conciencia) donde tenemos que enfrentarnos al error y eliminarlo.

Los peces y las aves poseen conciencia de sí mismos y el poder de la locomoción. Se pueden trasladar y cambiar de entorno.

Todo esto simboliza la idea de que la comprensión del hombre se está transformando en algo vivo y poderoso. De manera activa, ha cambiado a mejor su modo de pensar. La verdad le es mucho más clara, y todo ello es el resultado de haberse dado cuenta de que solamente Dios puede aportarle el bien, y que él, por sí mismo, no puede hacer nada sin Dios. Como hemos podido ver, fue solamente después de que apareciesen los cuerpos o luminarias celestes cuando se introdujo el *nephesh* y tuvimos los peces y las aves. El tratamiento está ahora removiéndose profundamente, y la demostración va rápidamente hacia delante.

SEXTO DÍA

Y dijo Dios: Que la tierra dé criaturas vivas, ganado y reptiles, y bestias terrestres. Y así se hizo.

61

Y Dios hizo a las bestias de la tierra a su imagen, y el ganado, a su imagen, y a todos los animales que reptan, a su imagen. Y vio Dios que era bueno (Génesis1:24-25).

La realización de la Presencia de Dios constituye el secreto de la demostración o salvación. Hemos de realizar que, en Verdad, Dios está presente allí donde parece encontrarse la inquietud. No basta con saber que Dios es bueno por Sí Mismo. Hemos de reconocer a la bondad como capaz de estar en donde, al principio, sabíamos que estaban el temor y la falta de armonía. Hay un momento en el desarrollo del hombre –y también un momento correspondiente en cada curación– en el que nos damos cuenta hasta cierto punto de la bondad de Dios como hecho general, aunque el error todavía parezca también muy real. El paso final es conocer (en el pensamiento, naturalmente; el único lugar en que podamos conocerla) la bondad de Dios donde parezca encontrarse el error. En otras palabras y en el lenguaje de la Biblia, lo bueno debe ser sacado del "mar" de lo abstracto y llevado a la "tierra seca" de lo bueno preciso y *concreto*.

En esto consisten, naturalmente, cada curación y cada tipo de demostración, y por ello aparecen sobre la tierra seca criaturas que pueden moverse. Los peces y demás criaturas marinas viven inmersas en aguas más o menos alejadas de nosotros. Las aves vuelan por el aire por encima de nuestras cabezas y, también, lejos de nuestro alcance –la fase del quinto día–, pero las bestias de la tierra o, como pudiéramos decir, los mamíferos, reptiles y pequeños animales que se arrastran, pertenecen a la tierra firme y están a nuestro alcance. Aquí nos encontramos con otro importante adelanto. Algunas de esas criaturas se encuentran, en la escala de la vida, en un nivel mucho más alto que otras, aunque, además de contar con conciencia de sí mismas y con capacidad de trasladarse, estén firmemente establecidas en la tierra seca, no fijadas a ésta como las plantas, sino dueñas de ella. La demostración ya está a nuestro alcance y sólo necesitamos darnos cuenta de nuestros derechos y privilegios para poder asirla.

CREACIÓN DEL HOMBRE

Y dijo Dios: Hagamos al hombre a nuestra imagen para que domine a los peces del mar y a las aves del aire y a los ganados y a la tierra y a todas las criaturas que se arrastran sobre la tierra.

Así que Dios creó al hombre a imagen suya, a su semejanza lo crió y los hizo macho y hembra (Génesis 1:26-27).

Alcanzamos ahora, en esta maravillosa alegoría, el lugar en que aparece ya el hombre. El hombre tiene consciencia de sí mismo y puede trasladarse, como las criaturas inferiores, pero, además de esto, está en poder de las cualidades divinas de la intuición y la razón y *es capaz de formar una idea*. Estas facultades le colocan ya en una clase diferente. Un animal sólo sabe determinadas cosas. Un perro inteligente, por ejemplo, conocerá tu casa y la mía y otras muchas en las que haya estado, pero no puede concebir *una* casa en sentido general; sólo alguna casa en particular. El hombre puede pensar que una casa debiera contar siempre con un porche o que todas las casa, en general debieran tener calefacción central, sin necesidad de imaginarse ninguna casa en particular. Estas facultades, la intuición, la razón y la capacidad de tener ideas constituyen su "dominio" y le otorgan poder sobre las creaciones inferiores o para llevar a cabo su demostración.

Os podréis dar cuenta de que, en este tratado, sólo se hace mención de tres –y sólo de tres– actos de creación.

El primero de ellos se encuentra en el versículo 1, cuando se menciona la creación del universo.

El segundo está en el versículo 21 y se refiere a la puesta en acción, el quinto día, del *nephesh*.

El tercero lo tenemos en el versículo 27, cuando aparece por primera vez el hombre.

Los tres constituyen pasos de importancia capital en el despliegue de la Verdad.

En el tratamiento que llevas a cabo, la creación del hombre simboliza tu realización total. El temor ha desaparecido. Tu concienciación es ahora clara y sabes que la demostración se va a producir de seguro si no lo ha hecho todavía. Ahora, por lo menos, de momento, expresas tu naturaleza divina de manera más aproximada a como lo hayas hecho nunca, sabes que tienes el dominio de tu vida y que no tienes nada que temer. No es sólo que conozcas la Verdad, sino que puedes sentirla. Ahora, por fin, el conocimiento y el sentimiento están equilibrados: "y los hizo macho y hembra." El macho, en las Escrituras, siempre representa al intelecto y al conocimiento, y la hembra, a la naturaleza sensitiva.

Al llegar aquí, debo explicarte que, en el lenguaje de la Biblia, la palabra "Dios" no siempre se refiere a Dios en el sentido del Creador del Universo. Puede significar tu propio Cristo Interior o tu Verdadero Tú, que, naturalmente, no es sino la Presencia de Dios en el punto en que te encuentras, porque tú, en tu Verdadero Tú, eras la individualización de Dios. Del mismo modo, la palabra "hombre", como aparece en el versículo 27 y en otros lugares, puede significar la manifestación de aquello que en otros lugares de la Biblia recibe el nombre de "tierra". La chispa divina o la Presencia de Dios en ti (tu verdadero yo) ha llevado a cabo tu manifestación a Su imagen y semejanza, y la sanación se ha llevado a cabo. Lo mismo ocurre cuando intentas sanar a otra persona, porque tu paciente forma, de momento, parte de tu manifestación, ya que debes creer que está enfermo o saber que está bien.

Y Dios les bendijo y les dijo: Procread y multiplicáos, y llenad la tierra y dominadla, y dominad los peces del mar y las aves de los cielos, y todas las criaturas vivientes que se mueven sobre la superficie de la tierra (Génesis 1:28).

Vuelve aquí la Biblia a señalar la importancia del hecho de que el hombre deba tener el dominio de su cuerpo y de sus condiciones. Tiene que ser el rey del mundo de su propia manifestación. *Procread y multiplicáos, y llenad la tierra y dominadla* quiere decir exactamente eso. Procrear y multiplicarse significa crecer en comprensión y fuerza espiritual de forma constante para así hacerse conocedor de nuevas ideas a fin de explotarlas para Dios y seguir haciéndolo de esta manera durante toda la eternidad.

El universo en que vivimos constituye un universo de pensamiento. Da la impresión –al igual que las experiencias de un sueño– de ser sustancial y de encontrarse separado de nosotros, pero, sin embargo, los estudiantes de metafísica saben que no es nada sino pensamiento. La verdad es que lo que experimentamos no es sino la objetivación de nuestros pensamientos y creencias. En lenguaje técnico, solemos decir que "lo que ves es tu propio concepto."

A la mayoría de la gente, cuando oye por primera vez esta Verdad, se le hace difícil creerla, aunque, al pensar sobre ella con más detenimiento y al considerarla con la oración, llega a convencerse al final. Parece ser que existen personas conocedoras de esta Verdad por intuición, incluso siendo muy jóvenes, sin que nadie les haya hablado nunca de ella. Como es natural, los niños no piensan nunca de esta forma tan lógica ni cuentan con el vocabulario correspondiente, aunque algunos creen, a su manera, que los sucesos del mundo exterior no son realmente lo que los adultos pretenden que sean, sino que se parecen más a alguno de sus propios juegos o, tal vez, a la obrita de teatro navideña en la que tenían un papel en la escuela: bajo un cierto punto de vista, interesante e importante, pero nada real. Cuando intentan que sus mayores les clarifiquen el tema, no consiguen, como es natural, hacerse entender. Se dice de ellos que tienen demasiada imaginación o precocidad y se les hace desistir por su propio bien. En la mayoría de los casos, esta es la causa de que el conocimiento caiga en el olvido.

Cuando aprendamos a controlar nuestro pensamiento, podremos controlar nuestras vidas, que no podrán ser controladas hasta que no tengamos éxito en controlar nuestra manera de pensar. Hay que decir una vez más que tenemos que enseñarnos a nosotros mismos primero a creer y después a realizar la Presencia de Dios donde no parece existir condición negativa alguna. (Juzgar no conforme a las apariencias, sino mediante un juicio justo[8].)

Unas personas lograrán este objetivo mediante distintos medios que otras, según sean sus temperamentos y puntos de vista. En cualquier caso, deberás afirmarte frecuentemente que Dios piensa a través de ti, que Dios te inspira para emplear métodos acertados y que la Divina Sabiduría te mostrará el siguiente paso que debas dar.

Por encima de todo, evita el mostrarte tenso. El error

8. Juan 7:24

más corriente que comete la gente es el *intentar con demasiada intensidad*. No olvides nunca que, en cualquier trabajo mental, el esfuerzo termina venciéndose a sí mismo. Afírmate que el Espíritu Divino reza a través de ti y créelo, porque, de esta manera, no sentirás el deseo de intentarlo con demasiada fuerza. En eso consiste en realidad la fuerza de voluntad. Si oras de esta manera, tus oraciones obtendrán respuesta mucho antes.

La concienciación espiritual está siempre "rellenando" su tierra. Jamás debemos de aferrarnos mentalmente a las condiciones actuales o a objetos determinados. Mientras estas cosas nos pertenezcan por derecho de concienciación, permanecerán ahí y nada podrá separarlas de nosotros. Si se separan, es porque ya las habremos superado y estemos esperando algo mejor. Que partan libremente y sin que suframos por su pérdida, porque, hasta que no hayan desaparecido por completo ese algo mejor no se presentará ante nosotros.

No existe nada en la vida espiritual como el alcanzar un estado de finalidad o de realización, un estado en el que todo es perfecto, acabado e inalterable. Nunca podrás llegar al momento en que puedas dejar de orar y, por así decir, dormirte sobre tus laureles. Eso significaría que habrías llegado a un punto en que podrías dejar de comunicarte con Dios. El cielo "estático" de la ortodoxia se solía representar con frecuencia como algo parecido a esto, pero la idea es básicamente errónea. Interrumpir nuestra comunión con Dios sería como caerse del cielo y volver a la limitación. Mientras sigamos manteniendo nuestra comunión viviente con Dios, nuestra concienciación seguirá creciendo, y nuestra manifestación particular se verá naturalmente incrementada y enriquecida en la misma proporción. Decía uno hombre con un deje de amargura: "¿Tendré siempre que seguir trabajando?" La pregunta mostraba bien a las claras un malentendido fundamental. Trabajar, en el sentido de esfuerzo o "curro", no en ninguna comunión espiritual y no nos conducirá al cielo. La oración o tratamiento que nos lleve al cielo produce una sensación de camaradería gozosa con Dios, que es justo lo contrario del "curro".

Los estudiosos de la verdad suelen emplear con frecuencia la palabra "trabajar" cuando se refieren a orar o a realizar algún tratamiento. Dicen:"He trabajado en esto o deberías trabajar de esta manera". El término es válido siempre que entendamos que no se refiere simplemente a una tarea o a una actividad ardua.

Los peces, las aves y las bestias de la tierra representan de forma detallada los diferentes poderes y cualidades que pertenecen al hombre espiritual. El ser humano, tal como le conocemos en la actualidad, es poseedor de todas esas cosas, pero sólo en germen –de la misma manera en que la encina existe de manera potencial en la bellota–, y las irá desarrollando poco a poco a medida en que avanza espiritualmente. Al final de este desarrollo, se encontrará con que dominará a los peces, las aves y los animales terrestres.

Y dijo Dios: Mira, te he dado todas las hierbas que contienen semillas que existen sobre la superficie de la tierra, y todos los árboles que dan frutos que contienen las semillas que producirán otros árboles. Y te servirán de alimento.

Y a todas las bestias de la tierra y aves del aire y a todas las criaturas que se arrastran por la tierra y que poseen vida les he dado hierba verde para que les sirva de alimento. Y así se hizo (Génesis 1:29-30).

Dios trabaja en Su creación y a través de ella en todo momento. Dios es, en verdad, la única fuerza: la Causa única. Cuando Dios nos inspira a que hagamos algo, nos procura al mismo tiempo todo lo que necesitamos para hacerlo así como la fuerza con la que podamos hacerlo. "¿Quién lleva a cabo en momento alguno la guerra por su propia cuenta?"[9].

Aquí, el reino vegetal representa este abastecimiento; es decir, cualquier cosa que pueda hacernos falta para llevar a cabo el trabajo de Dios, lo que, como es natural, quiere decir expresarle a El, y comprende cualquier tipo de equipamiento material y cualquier presentación o co-operación que puedan sernos necesarios, cualquier ayuda financiera y, por encima de todo, cualquier información, nueva idea, comprensión, guía o sabiduría más profundas así como la energía necesaria para conducir cualquier empresa a buen fin. Todas estas cosas pueden ser tomadas como la "comida" o alimento de la empresa, siendo en ese sentido en el que el texto utiliza la palabra en los versículos 29 y 30.

Una antigua máxima dice que todo, directa o indirectamente, procede en su origen del suelo, y podemos ver que las Escrituras, con lógica divina, empiezan mencionando la existencia del inagotable abastecimiento de Dios haciendo que la creación del reino vegetal aparezca en cuanto hay tierra seca disponible y antes de que llegue cualquiera de las demás creaciones superiores y más complejas.

Como todos sabemos, constituye una norma universal que las cosas vivientes produzcan crías de su propia especie. Los pensamientos son cosas vivientes. Y, además, lo son de una forma especialmente vital, lo que hace que los pensamientos sigan de forma natural esta ley.

Los pensamientos positivos producen condiciones ar-

---

9. 1 Corintios 9:7.

moniosas y positivas, y los negativos, miedo y limitación. La Biblia no se cansa jamás de repetir esta ley y de explicarla con un ejemplo tras otro, desde el Génesis hasta el Apocalipsis, y nosotros no debemos cansarnos jamás de recordárnosla a nosotros mismos tanto si viene a cuento como si no. Es interesante señalar que el color característico del reino vegetal, cuando se encuentra sano, es el verde, lo que constituye un simbolismo espiritual, ya que el color verde representa la Inteligencia. Es este aspecto de Dios –la Inteligencia–, expresado en cada individuo como una comprensión inteligente de la Ley Divina –muy en especial, esta ley particular que tanta importancia reviste para nosotros–, el que constituye el fundamento de toda demostración consistente y fiable y diferenciada de esporádicas y ocasionales respuestas a la oración. Por esta razón, esta ley comienza a ser revelada en la tierra seca o fase del tercer día, cuando la vegetación hace su aparición.

Y vio Dios que todo lo que había hecho era bueno, y en el sexto día creó el día y la noche (Génesis 1:31).

Al describir cada etapa de la creación, la Biblia nos dice de forma significativa que Dios ve que Su creación es buena. En ningún momento se expresa condenación ni arrepentimiento algunos. La creación se revela como algo categóricamente bueno. La vida es buena. La vida es una bendición. La vida constituye un glorioso regalo y una oportunidad sublime. Esto es lo que la Biblia nos enseña sobre la vida: *que es buena.*

Las Escrituras reconocen la existencia temporal del mal y del sufrimiento, aunque nos enseñan que tales cosas no son reales, en el sentido de ser sustanciales y, por lo tanto, permanentes. Las Escrituras nos enseñan que atraemos sobre nosotros esas cosas con nuestra manera de pensar equivocada y con nuestras falsas creencias. Esta manera de pensar errónea incluye no sólo el pecado, sino el albergar cualquier tipo de creencias falsas, lo que significa una falta de conocimiento correcto de la vida. Nos enseñan que la forma en que nos podamos ver libres de sufrimientos y de limitaciones y podamos alcanzar una gloriosa felicidad es mediante el estudio de las leyes de Dios y, después, viviendo de acuerdo con ellas.

Por eso, la religión de la Biblia es diametralmente opuesta a algunas de las filosofías orientales, que son esencialmente pesimistas. Estas filosofías postulan la vida del hombre, su existencia consciente de sí mismo, como intrínsecamente mala. Para ellas, la vida es esencialmente una desgracia, llena, necesariamente, de sufrimiento y disgusto, y es a nosotros a quienes corresponde librarse de ella lo antes posible. La existencia consciente de sí misma –enseñan– constituye una maldición, y la única esperanza que le queda al hombre es la de matar todo interés en la vida y, en último caso, dejar de tener un ser consciente.

Los estudiosos occidentales que abrazan esta filosofía raras veces alcanzan su significado real. Se sienten atraídos hacia ella por las amables e irreprochables vidas que llevan muchos de sus devotos. La enseñanza de caridad y hermandad de que se ve acompañada tal filosofía no puede por menos que suscitar nuestra sincera admiración, aunque ello no varíe el hecho de que sea básicamente pesimista y abogue por el suicidio espiritual si tal cosa fuera posible. Hay también quienes la adoptan porque su gran sencillez es tranquilizante y actúa como bálsamo para las mentes y los corazones confusos y cansados por las teologías complicadas y artificiales de la ortodoxia cristiana.

Debe quedar totalmente claro que nunca perderás tu individualidad. En último caso, cuando alcances la plena consciencia de la unión con Dios y *sepas* que formas una unidad con Él, todavía te tendrás por un individuo y seguirás manteniendo esa identidad durante toda la eternidad. Seguirás creciendo y desarrollándote, pero siempre serás tú. Cuando llegue ese momento, habrás olvidado las penas y preocupaciones que hayas tenido en el pasado de la misma forma en que un adulto olvida las penas y temores de su infancia e incluso algunas del pasado más cercano. La unión consciente y completa con Dios no implica la absorción ni la anulación de la individualidad.

El hombre, en su realización de Dios, no es en absoluto como una gota de agua que vuelve al océano, como dijo el poeta, porque esa gota de agua se reparte y pierde en el océano y acaba su existencia como tal gota. El hombre puede compararse a una chispa arrojada por una ardiente hoguera. La chispa, desde su diminuto comienzo, se transforma en una gran hoguera, un fuego viviente; no uno unido e igual al fuego que la lanzó, aunque sí, sin duda, una chispa con fuego, porque todo fuego es fuego.

SÉPTIMO DÍA

Y así fueron terminados el cielo y la tierra y todos sus habitantes.

Y, al llegar el séptimo día, Dios terminó su obra y descansó.

Y Dios bendijo y santificó el séptimo día porque fue cuando descansó de todas sus obras (Génesis 2:1-3).

Tú rezas o tratas sobre un cierto tema hasta que consigues una realización vívida sobre el mismo. Una vez alcanzado este punto, no sientes necesidad o inclinación ninguna para seguir orando sobre ese tema. Te encuen-

72

tras satisfecho y lleno de una profunda e indescriptible complacencia y certidumbre. Este es el *Séptimo Día,* el día en que descansas invadido por una sensación de alabanza y gratitud.

Ocurre con frecuencia que no consigues de hecho una buena realización, aunque sientas que has hecho todo lo que estaba en tu poder al menos hasta el momento. Seguir insistiendo más allá de este punto sería hacer uso de la fuerza de voluntad, por lo que bendices el trabajo realizado hasta entonces y lo dejas ahí. Has pronunciado la Palabra. Has dicho la Verdad. Y, como testigo de Dios, has testificado Su omnipotencia inalterada e inalterable, y es ahora cuando le llega el descanso a la gente de Dios: una vez que han realizado todo hasta el final. En tales casos, suele producirse la demostración, cuyo signo consiste en el propio Séptimo Día.

En la historia de una demostración determinada, el "Séptimo Día" puede, de hecho, ocupar mucho o poco tiempo del calendario o del reloj. Un problema puede ser resuelto en una semana, y otro, en unas horas o incluso minutos. Algunas demostraciones gloriosas han tomado años, según como contamos el tiempo, pero en todos los casos se hubo de pasar por estas siete etapas. Cada una de ellas fue más larga o más corta, según el caso, y el Séptimo Día llegó a veces con la aparición del signo, como ya hemos dicho, y, a veces, se adelantó. En la hermosa experiencia de lo que denominamos demostración instantánea, también se hubo de pasar por las siete etapas, aunque con tanta rapidez que no nos dimos ni cuenta. El trabajo, sien embargo, se debe realizar en el orden prescrito, porque ésa es la manera en que la mente humana trabaja, bajo la acción de Dios, sin limitaciones.

Esta es, por lo tanto, la historia que nos cuenta el primer capítulo del Génesis; sencilla y amplia al mismo tiempo, ya que esos treinta y cuatro versículos constituyen nada menos que la historia de la vida de la humanidad y nos proporcionan al mismo tiempo un mapa de carreteras para la salvación y la eternidad. Es sabio que la Biblia comience con esta revelación, porque constituye, sin duda, la puerta de entrada al Cielo.

Adán y Eva

La historia de Adán y Eva en el Jardín del Edén constituye la parábola más importante que contiene la Biblia. Esta suprema importancia se debe a que explica la verdadera naturaleza de nuestras vidas aquí en la tierra. Nos habla de nosotros mismos y de cómo somos los causantes de las condiciones en que vivimos. No es sino un libro de texto sobre anatomía espiritual y psicológica. Cuando llegues a comprender en profundidad la historia del Jardín del Edén, llegarás a comprender la naturaleza humana y, cuando hayas comprendido la naturaleza humana, tendrás su control. Esta parábola está situada al comienzo casi de la Biblia porque constituye el cimiento sobre el que se edifica toda ella, y todo lo que queda de ésta, hasta el final de la Revelación, asume la comprensión de la parábola del Jardín del Edén. Y en efecto, sólo hay un apartado de la Biblia antes de esta parábola, siendo éste el fundamental capítulo primero que nos proporciona las bases para la demostración espiritual.

La Biblia no pretende básicamente enseñar historia o biografía o ciencias naturales. Lo que intenta es enseñar psicología y metafísica. Trata principalmente de estados mentales y de las leyes de la actividad mental: el resto es puramente accidental. Cada uno de los personajes principales de la Biblia encarna un estado mental que cualquiera de nosotros puede experimentar, y los propios sucesos que acontecen en los diferentes capítulos ilustran las consecuencias que nos producen el encontrarnos en dichos estados, ya sean buenas o malas.

Algunos personajes bíblicos, como Moisés, Elías y Pablo, son figuras históricas. Fueron hombres reales que vivieron sobre la tierra y que llevaron a cabo los hechos que les son atribuidos, aunque también representen estados mentales y, como es natural, tuviesen diferentes estados mentales en los diversos momentos por que transcurrieron sus vidas. Otros personajes bíblicos, como Adán y Eva, el Hijo Pródigo, el Buen Samaritano[1] o la Mujer Escarlata[2] son, obviamente, ficticios y jamás existieron, aunque también expresen estados mentales y, siempre, de forma notoriamente sencilla y gráfica.

Pero un estado de la mente no puede verse ni retratarse directamente como podría un objeto material. Sólo puede ser descrito de forma indirecta, mediante una figura retórica, una alegoría o una parábola, aunque, por desgracia, la gente irreflexiva haya siempre tenido tendencia a tomar literalmente la figura retórica o la alegoría –tal y como sonaba–, perdiendo de esta forma el significado real que subyacía en ella. Así se llegaba a venerar el velo de Isis olvidándose de la propia Isis. Otro

---

1. Lucas 10:33.
2. Apocalipsis 17:3-4.

de los males consecuencia de este modo de actuar es de que, como, obviamente, muchas parábolas *no se pueden* tomar al pie de la letra, esas personas, incapaces de aceptar la autenticidad de la historia, deciden rechazar la Biblia entera por tratarse de una colección de mentiras. Esta fue la postura de Ingersoll, en América; Bradlaugh, en Inglaterra, y muchos otros. Por otra parte, el fundamentalista se enfrenta a su propio sentido común intentando obligarse a creer que esas parábolas son literalmente reales, mientras, en el fondo de su corazón –que es el lugar que importa–, no puede creerlas, dando lugar así a un peligroso conflicto en su subconsciente.

No puedes coger un lápiz y, por ejemplo, dibujar el miedo; sin embargo, puedes dibujar un retrato de un ser humano y pintar el terror en su semblante. No puedes tomar un pincel y pintar el remordimiento ni la envidia ni la sensualidad, pero puedes coger tu pluma y escribir sobre una enorme hoguera y sobre un alma que sufre tormento en las llamas, con lo que te encontrarás con una excelente descripción del sufrimiento producido por dichos males. Pero, sin embargo, es mucha la gente que está segura de que lo que quieres decir es que el cuerpo humano se quema en un fuego físico. No puedes dibujar un alma que experimenta un sentimiento de perfectas paz y armonía, pero puedes hablar de un experimentado músico que toca una música maravillosa en un arpa perfectamente afinada; ahí, de nuevo, mucha gente se creerá que el alma redimida se va a pasar toda la eternidad tocando el arpa. La justicia constituye una cualidad abstracta que no puede ser dibujada ni esculpida, pero puedes esculpir o dibujar una mujer con los ojos vendados y portadora en su mano de una balanza, y, cuando así lo haces, todos sabemos que lo que quieres representar es la justicia. Esta es la manera que la Biblia utiliza para impartir sus enseñanzas. Hace uso de cosas externas y concretas para expresar ideas interiores, subjetivas o abstractas. Como decía san Pablo, todas esas cosas son alegorías.

En la historia del Jardín del Edén da la impresión de que hay mucha gente que piensa que Eva simboliza a la mujer como sexo, y que Adán, también y en cierto modo, representa al hombre como sexo, pero todo ello es absurdo. Adán y Eva no son sino una sola persona. Representan a todos y cada uno. Representan a ti y a mí y a cada hombre y mujer del mundo. Representan al ser humano tal como lo conocemos. *Adán significa el cuerpo,* y *Eva significa el alma o la mente humana,* consistente en el intelecto y la naturaleza sensitiva. En la Biblia, la mujer siempre representa al alma.

La historia dice que Eva comió un determinado fruto y que, como resultado de ello, tanto ella como Adán fueron expulsados del Paraíso, incurriendo en todos los dolores y penalidades que aquejan a la naturaleza humana. Es ésta una gran parábola porque impone la Gran Ley de un solo golpe. Es un hecho el de que el cuerpo no puede experimentar nada que no haya antes aparecido en la mente, y el de que la mente no puede mantener convicción alguna sin que su efecto se haga visible en el cuerpo o en la encarnación, razón que explica que no se deba a la casualidad que la fruta fatal fuera comida en primer lugar por Eva y no por Adán. El cuerpo no puede hacer nada al alma porque el cuerpo es efecto, no causa. El cuerpo no es sino una sombra arrojada por la mente, y la sombra no puede hacer nada que afecte al objeto que la arroja.

Al llegar a este punto, tenéis que tener en cuenta cuidadosamente que la palabra "cuerpo" significa la encarnación total del sujeto y que comprende no sólo su cuerpo físico, sino todo el medio ambiente material que le rodea. La Gran Ley de la naturaleza humana es que lo que en un momento dado constituye el medio ambiente de uno no es sino la expresión o configuración externa de su mente consciente (y subconsciente) en ese mismo momento. Los estados mentales jamás son resultado de condiciones externas (aunque, como es natural, *parecen* serlo hasta que analizamos la situación con meticulosidad), sino que es siempre el estado mental el que produce la imagen externa. Eva puede crearle problemas a Adán o puede proporcionarle armonía, pero Adán no puede hacerle nada a Eva. A menos que el alma sea la primera en comer el fruto prohibido del temor, ira, avaricia, etc., la encarnación será armónica y libre, pero todo lo que el alma consume o mantiene debe aparecer –y aparecerá– en el cuerpo.

Este es el significado básico de la parábola del Jardín del Edén. Ahora pasaremos a considerar los detalles en su orden lógico, extendiéndonos un poco más en ellos. Cada uno de estos detalles es instructivo y de extrema importancia. Cada uno de ellos nos proporciona una clave importante para conocer nuestra naturaleza, aunque son todavía de importancia secundaria en relación al gran tema central de que *éste es un universo mental,* y de que es la mente la que produce todos los fenómenos.

Recomiendo que el lector relea cuidadosamente los capítulos 2 y 3 del Libro del Génesis, empezando por el versículo 4 del capítulo 2 y empleando la Versión Autorizada del Rey Jaime, que es la de uso más general. Os daréis cuenta de que los primeros tres versículos del capítulo 2, tal como se muestran en nuestra Biblia, corresponden en realidad al capítulo 1 y no forman parte de la parábola de Adán y Eva. La Biblia no fue dividida en capítulos y versículos hasta muy entrada la era cristiana. Los autores originales no sabían nada de esta disposición, que es de suma conveniencia, aunque, en algunos casos, las divisiones o separaciones no se hayan llevado a cabo en el lugar adecuado.

El primer punto que tenemos que tener en cuenta es el de la naturaleza del fruto que comió Eva. Se trata del fruto del árbol del conocimiento del bien y del mal (Génesis 2:17). Fijáos bien. ¿De qué tipo de árbol habla? Del árbol del conocimiento del bien y del mal, lo que hace que el significado sea, obviamente, alegórico. No hay en toda la tierra ningún árbol así. Este punto prueba, sin género de duda, que *la historia es alegórica* y que como tal debe ser tomada. Según parece, existe la muy extendida creencia de que lo que comió Eva fue una manzana, aunque la Biblia no diga nada parecido. Lo que Eva comió fue el fruto del árbol del conocimiento del bien y del mal. Es difícil de comprender cómo la gente ha podido tomar esta maravillosa alegoría por un hecho real, pero así ha sido, encontrándose todas las teologías ortodoxas basadas en una supuesta "caída del hombre" causada por comerse literalmente un fruto de un árbol real en un emplazamiento geográfico auténtico y en una fecha concreta del pasado, a pesar de que todo ello no sea más que una clara y pura alegoría –como una fábula de Esopo o la historia del Buen Samaritano–, si no fuese porque enseña lecciones mucho mayores y más profundas. Sólo con pensar un poco, nos daríamos cuenta de que crear una pareja adulta de humanos con una total inexperiencia por haber carecido de infancia y juventud y castigarles luego por una infracción cuya naturaleza les es imposible comprender no sería nada inteligente; y cuánto no menos inteligente y más injusto el hacer responsables con incapacidades y castigos a sus lejanos descendientes por un hecho que tuvo lugar siglos antes de que naciesen y del que en modo alguno eran responsables.

El relato dice:

Y Dios Nuestro Señor ordenó al hombre diciéndole: Puedes comer con libertad de todos los árboles de este jardín. Pero no deberás comer del árbol del conocimiento del bien y del mal, porque, el día que lo hagas, sin duda morirás. (Génesis 2:16-17).

Los que esto quiere decir es, a todas luces, que sufriremos si consentimos en el conocimiento del bien y del mal; es decir, que si mantenemos pensamientos buenos y malos, tendremos problemas. No dice que esto es lo que nos ocurrirá si comemos frutos completamente malos, lo que significa albergar pensamientos totalmente negativos, porque nadie en sus cinco sentidos lo haría. El problema está en el fruto *mezclado*. Es la mezcla del bien y del mal en nuestra mente la que produce la caída. Cuando la gente piensa mal, la mente carnal siempre proporciona una buena razón para ello. Cuando la gente critica al prójimo, cuando abriga pensamientos de resentimiento y condena, cuando llena su mente con ideas de enfermedad, carencia y cosas por el estilo, es muy capaz de inventar otras buenas razones aparentes para hacerlo así y, por lo tanto, para engañarse a sí misma, comiendo así fruto mezclado. Las regla es la de que no debemos pensar mal bajo ningún concepto porque, en caso contrario, sufriremos las consecuencias de ello.

El hombre tiene toda la libertad para pensar bien o pensar mal, y constantemente opta por pensar mal, siendo este pensar mal el que constituye la "caída del hombre". Esta es la razón por la que esta caída se esté produciendo todo el tiempo mientras nos permitamos pensar de forma equivocada. No se trata de algo que ocurrió en el pasado, sino de una circunstancia constante que tiene que ser vencida enseñándonos a nosotros mismos a pensar siempre con rectitud.

En la historia de Adán y Eva, es el varón el que hace su aparición en primer lugar, por ser el ser humano consciente de su cuerpo mucho antes de descubrir su alma. Esta verdad vale tanto para la humanidad como raza que para el individuo en su infancia.

Pero la serpiente era mucho más astuta que cualquier otro animal terrestre que hubiese creado Dios Nuestro Señor, y dijo a la mujer: ¿Qué te ha dicho Dios? ¿Qué no comas de ningún árbol frutal del jardín?

Y la mujer dijo a la serpiente: Podemos comer los frutos de los árboles del jardín,

Pero Dios ha dicho que no comamos el fruto del árbol que se encuentra en medio del jardín, porque, si lo tocamos, moriremos.

Y la serpiente dijo a la mujer: Seguro que no moriréis." (Génesis 3:1-4).

La serpiente simboliza la naturaleza inferior. Representa la mente carnal. La mente carnal, según expresión que debemos a san Pablo, es la creencia de que estamos separados de Dios cuando, en realidad, formamos una unidad con Él. Es la creencia de que las cosas interiores dependen de las cosas exteriores –cuando la verdad es lo contrario– o de que existe fuerza en la materia. Esta creencia errónea recibe correctamente el nombre de "caída del hombre" por ser la causa de todos nuestros problemas y dificultades. Una creencia sumamente sutil porque todos conocemos perfectamente la manera subrepticia en que se introduce en nuestras mentes sin siquiera darnos cuenta de ello. Aceptamos las enseñanzas de Jesucristo, creemos que las hemos entendido, pero continuamente nos encontramos olvidándolas en los momentos más importantes. Este error está, por lo tanto, perfectamente representado por una serpiente o áspid, que, con sus movimientos suaves y silenciosos, ataca a su víctima sin avisar.

El mundo cree que, analizando el mal, estudiándolo, llenando nuestras mentes con él, conseguiremos dominarlo. Dice con la serpiente:

Porque Dios sabe que el día en que comáis de ese fruto, se abrirán vuestros ojos y, conociendo el bien y el mal, seréis como dioses. (Génesis 3:5)

Como es natural, la verdad es justo lo contrario. La única manera de vencer al mal es negándonos a tocarlo mentalmente y, si ya lo hemos hecho, desconociéndolo.

La gran parábola continúa y dice que, una vez que la pareja comió del fruto, se dio cuenta de que estaban desnudos y sintieron miedo. En el momento en que permitimos que el mal se haga con nuestras mentes, el miedo nos sujeta, nos sentimos desprotegidos o, si se quiere, "desnudos" y buscamos en nuestro derredor algo material que nos salve, sin darnos cuenta de que nuestra única salvación consiste en saber que el mal no es real. Antes de comer del fruto prohibido, Adán y Eva no eran conscientes de estar desprotegidos o desnudos.

La parábola prosigue explicando que, en el frío del día, oyeron la voz de Dios que les llamaba. Esto significa que, una vez hecho el daño, después de haber entretenido pensamientos negativos y comenzado a sentir sus consecuencias, tenemos tiempo para reflexionar, siendo entonces cuando nos volvemos hacia Dios preguntándonos qué es lo que pensará o hará.

Naturalmente, es Eva la que tienta a Adán, y éste quien echa las culpas a Eva, porque, como ya hemos visto, nada puede ocurrir al cuerpo que no se encuentre en primer lugar en la mente. Puedes decir que algo ha sucedido a tu cuerpo de lo que no sabías nada con anterioridad, aunque deba haber existido un pensamiento o equivalente mental en tu mente, porque, si no, nada podría haberte ocurrido. La respuesta estriba en que se encontraba en la parte subconsciente de tu mente, por lo que, aunque estuviese allí, tú no te dabas cuenta de ello.

Por ello, Dios Nuestro Señor le echó del Jardín del Edén para que arase la tierra de la que había sido extraído. (Génesis 3:23)

Nuestra creencia en la realidad del mal y sus limitaciones constituye la razón de todos nuestros problemas. Es la causa de las enfermedades. Es la causa de las rencillas y carencias de armonía. Y es la causa de la pobreza, porque cuando *conozcamos* la Verdad de Ser en vez de sólo *creer* en ella, no tendremos que trabajar ni esforzarnos para ganarnos la vida porque nuestro pensamiento será creativo y demostraremos lo que necesitamos. Mientras tanto y por haber Eva comido del fruto prohibido –porque la raza cree en la limitación– tendremos que trabajar duramente para poder vivir. La tierra tiene que ser labrada con esfuerzo y, cuando crecen las cosechas, da la impresión de que se encuentran sometidas a todo tipo de plagas y peligros. *Ganarás el pan con el sudor de tu frente.* (Génesis 3:19)

Y a la mujer le dijo: Multiplicaré en gran manera tus penas y concepción y parirás tus hijos con dolor, y tu deseo será el de tu marido y él mandará sobre ti. (Génesis 3:15).

Como resultado de la Caída –la creencia en la limitación–, el alma produce ideas nuevas con gran esfuerzo y dificultad. Las creaciones artísticas y los nuevos inventos van llegando a la raza con lentitud y apuros. Los egipcios podían haber tenido el teléfono, y los romanos, automóviles si hubiesen sabido cómo, porque la naturaleza se encontraba tan dispuesta a dárselos en aquellos tiempos como lo está ahora. Incluso dentro de un siglo, la humanidad contará con muchas cosas buenas de las que ahora tenemos que pasar porque todavía no las hemos inventado ni descubierto. El hombre espiritual auténtico puede tener lo que desee en cualquier momento con pronunciar la Palabra creativa.

Y expulsó al hombre del Paraíso y, al Este del Jardín, puso querubines y una espada de fuego que giraba en todas direcciones para que el hombre no pudiese acercarse al árbol de la vida. (Génesis 3:24).

El comer la fruta prohibida –el creer en la limitación– constituye la caída del hombre, habiendo sido ésa la razón de ser expulsados del Paraíso y de tener que permanecer fuera de él hasta que hayamos hecho renuncia a nuestra falsa creencia. La ley de la armonía impide que quien mantenga una falsa creencia pueda entrar en el Paraíso por mucho que haga intentándolo. Por ejemplo, mientras creas que tu cuerpo es material y limitado y, por lo tanto, sometido a la enfermedad y a los accidentes, no podrás tener una salud perfecta. Una vez que *sepas* que tu verdadero cuerpo es espiritual y eterno, te llegará la perfecta salud.

Adán y Eva representan al ser humano tal como lo conocemos. No se trata del auténtico hombre espiritual –el hombre perfecto–, sino la persona que conocemos aquí, en este plano. Pero, ¿qué es un ser humano? ¿Cuál es, por ejemplo, tu personalidad humana? Pues consiste en tu opinión sincera sobre ti mismo o, para ponerlo más filosóficamente, se trata de tu concepto de ti mismo. Nada más que eso. Eres lo que tú crees *realmente* ser. Experimentas aquello en lo que *realmente* crees. Todo lo que existe en cualquier fenómeno no es sino nuestra creencia en él. No hay diferencia entre la cosa y la idea de la cosa. Oímos a menudo que los pensamientos son cosas, aunque la realidad sea la de que son las cosas las que son pensamientos. De ello puede deducirse que, cuando "despiensas" algo, desaparece. El mundo en que vives es el mundo de tus propias creencias. Lo creaste pensándolo y puedes destruirlo en cualquier momento despensándolo. Este es el significado de esta sorprendente afirmación: *Eres polvo y en polvo te has de convertir*. (Génesis 3:19)

De nuevo quiero llamar la atención del lector al hecho de que no debe olvidarse de su mente subconsciente. La mente subconsciente, generalmente llamada inconsciente en los libros de medicina, constituye aquella parte de tu mentalidad que desconoces. Puedes desconocer que has venido albergando un determinado pensamiento o creencia, pero, sin embargo, puede encontrarse en tu subconsciente, afectando tu vida a pesar del hecho de que tú no supieses de manera consciente de su existencia. Probablemente te llegó durante tu infancia.

La importancia de la oración descansa en que ella y solamente ella puede redimir y reeducar el subconsciente.

La creencia humana no es sino algo temporal, que siempre cambia y que se convierte en polvo. Tu auténtico yo espiritual *entiende,* y tu yo humano y temporal sólo *cree*. La comprensión es la Verdad y, por ende, permanente. Es el firmamento del versículo 1:6 del Génesis. El primer capítulo de la Biblia trata del hombre espiritual y de la Verdad eterna. Esta parte y el segundo y tercer capítulos tratan del hombre tal como lo conocemos –o creemos que lo conocemos– de momento.

Y pondré enemistad entre ti y la mujer y entre tus descendientes y los suyos, y te aplastará la cabeza, y tú le aplastarás su talón. (Genesis 3:15)

Aquí se sobreentiende claramente la enemistad entre el alma humana y la serpiente se ve la profecía de que llegará el momento en que la humanidad vencerá su limitación y temor y que aplastará la cabeza de la serpiente. Mientras tanto y hasta que esto se produzca, la serpiente seguirá creándole al hombre cantidad de problemas. El "talón" se refiere al punto más vulnerable, que puede ser el amor por el dinero, la tendencia a criticar y condenar, la sensualidad o cualquier otra cosa. El talón ha constituido desde siempre el símbolo del punto débil del hombre, porque es el lugar con que se pone en contacto con el suelo. Como es natural, nos viene a la memoria el talón de Aquiles y convendría echar también una ojeada a la profecía realizada por Jacob en el momento de su muerte relacionada con Dan.[3]

Cuando la Biblia habla del "Señor" o, como hace en esta parte, de "Dios Nuestro Señor", quiere significar *tu concepto* o idea de Dios, y no necesariamente Dios como es en realidad. Por ejemplo, siempre hemos oído que Dios endureció el corazón del Faraón[4], lo que quiere decir que la idea (equivocada) que el propio Faraón tenía de Dios endureció su corazón, no que el verdadero Dios lo hiciese. Somos tristemente conscientes de cuán frecuentemente a lo largo de la historia el nombre de Dios ha sido invocado por personas totalmente sinceras para justificar persecuciones religiosas. Como es natural, no era sino su falso concepto de Dios el que les llevó a cometer tales crueldades, y no el Verdadero Dios. Cuando quiere hablar del Dios auténtico, la Biblia utiliza sencillamente la palabra "Dios" o "Elohim", y, naturalmente, las palabras Vida, Verdad y Amor constituyen aspectos de Dios[5]. San Juan dijo "Dios es Amor", y Jesús dijo "Soy el Camino, la Verdad y la Vida."

En la parábola de Adán y Eva nos encontramos con el término "Dios Nuestro Señor", lo que significa que estamos tratando sobre el concepto que de Dios tiene el hombre –es decir, del Dios a quien adora– y, por lo tanto,

---

3. Génesis 49:17 y Capítulo "Los Cuatro Jinetes del Apocalipsis".
4. Éxodo 10:1
5. Ver Capítulo "Los Siete Aspectos Principales de Dios".

del Dios que rige su vida. Era ésa la idea que el Faraón tenía de Dios, una especie de despótico sultán oriental –como él mismo era–, y fue esa idea la que endureció su corazón.

En el diálogo entre Dios Nuestro Señor y Adán y Eva, es la propia conciencia del hombre la que entabla diálogo consigo misma explorando y analizando las cosas que han acontecido. ¿Existe alguien que no haya tenido tal debate consigo mismo, tal discusión entre sus naturalezas superior e inferior, o no haya sopesado los pros y los contras de una determinada tentación o de un problema en particular?

Y Dios Nuestro Señor dio a Adán y también a su mujer vestimentas de pieles para que se cubriesen (Génesis 3:21).

Habiendo Adán y Eva aceptado la creencia en la limitación como algo real que tendrían que intentar resolver, pasaron a hacerse "vestimentas de pieles", esforzándose en corregir una creencia en la limitación con otra y sumiéndose así cada vez con mayor profundidad en la confusión.

Y Dios Nuestro Señor dijo: Mira, el hombre se ha convertido en alguien como nosotros, que conoce el bien y el mal y ahora tiene miedo de extender su mano y tomar el fruto del árbol de la vida y vivir eternamente (Génesis 3:22).

Adán y Eva alcanzan al final un estado de desaliento y duda en el que sienten que no hay salida, que "lo que no puede curarse debe soportarse" y de que tanto el pecado como la enfermedad, la vejez y la muerte son cosas inevitables. Esta creencia es la que les arroja del árbol de la vida. Si no hubiese sido por ella, hubieran extendido sus manos y –hubiesen tratado y vencido sus ideas negativas–, tomado el fruto del árbol de la vida, comido de él y vivido eternamente. El árbol de la vida significa la *comprensión* de que formamos una unidad con Dios y de que nuestros auténticos yos son espirituales y eternos. Esta comprensión no constituye una simple doctrina espiritual, porque, de hecho, sana el cuerpo y, finalmente, lo regenera.

Jesús vino a enseñarnos sobre el árbol de la vida y sobre cómo comer su fruta, venciendo de esta forma la caída del hombre. El dijo: "Busca primeramente el reino de Dios, y lo demás se te dará por añadidura"[6]. También dijo:: "El reino de Dios está dentro de ti"[7]. En la Biblia, la palabra "dentro" significa pensamiento, en contraposición al mundo externo de las cosas.

"Y un río salía del Edén para irrigar el Paraíso, y desde allí se separaba y dividía en cuatro ramas.

"La primera se llama Pisón, que es la que rodea toda la tierra de Havilah, donde hay oro:

"Y el oro de esta tierra es bueno. También hay bdellium y piedra ónice.

"Y el nombre del segundo río es Gihon, que es el que rodea toda la tierra de Etiopía.

Y el tercer río es el Hiddekel, que se dirige al Este de Asiria. Y el cuarto río es el Eufrates" (Génesis 2:10-14).

En relación con la parábola de Adán y Eva, se nos habla de un río extraordinario que nacía en el Paraíso, pero que, al salir del Jardín, se dividía en cuatro ramales. Esta es una profunda expresión sobre la naturaleza del hombre. El hombre es único, algo espiritual, la expresión de Dios, perfecto y eterno, pero, debido a su creencia en la limitación, se ve, de momento, dividido en cuatro partes, apareciendo esta división, sólo cuando el río

---

6. Mateo 6:33; Lucas 12:31
7. Lucas 17:21

sale del Edén. A medida que vayamos avanzando en la Biblia, nos familiarizaremos cada vez más con estas cuatro divisiones. También reciben el nombre de "Los Cuatro Jinetes del Apocalipsis" y "Las Cuatro Bestias Alrededor del Trono" en el mismo Libro del Apocalipsis, siendo citadas por la Biblia en otros pasajes[8].

No tenemos necesidad ninguna de tratarlas aquí en detalle; bástenos con decir que el río Pisón representa a la naturaleza espiritual del hombre, el Caballo Blanco. La tierra de Havilah, "donde hay oro", constituye la conciencia espiritual. El oro siempre significa la verdad de que el poder de Dios está presente en todo lugar. El hombre piensa con frecuencia que existen poder y seguridad en el dinero o en la así denominada seguridad material. Adora al becerro de oro al tiempo que convierte el Dinero en Dios, confundiendo así el símbolo con la verdad que se oculta tras él. Todos los movimientos religiosos se han enfrentado al peligro de confundir los símbolos de Dios con el propio Dios, acercándose así a una idolatría inconsciente. El oro de Havilah es *bueno*, lo que quiere decir que es el reconocimiento del propio Dios como única fuerza, siendo este reconocimiento lo único que jamás nos pueda fallar. El Pisón representa, en cierto sentido, a Dios como Vida, y el bdelliun y el ónice, la Verdad y el Amor. El Pisón es una referencia al río Indo que, para la gente que vivía en tiempos de la Biblia, caía muy al Oriente, y el Oriente que conocemos significa inspiración y presencia de Dios[9].

El río Gihon representa la naturaleza sensitiva o Caballo Rojo. Se trata de una referencia al Nilo y a Egipto, que, más tarde, se convertiría en la tierra de la esclavi-

---

8. Ver Capítulo "Los cuatro jinetes del Apocalipsis".
9. Ver Capítulo "Los cuatro jinetes del Apocalipsis".

tud. Etíopía se encontraba adyacente a Egipto. Son muchas las personas que, en la práctica, provocan la mayoría de sus dificultades o esclavitudes al no poder dominar su naturaleza emocional.

El río Hiddekel significa el intelecto o Caballo Negro. Constituye una referencia al río Tigris, que se dirige hacia Asiria, la cual representa la fuerza de voluntad. Ya sabemos nosotros que el intelecto sólo puede expresarse mediante la fuerza de voluntad y que ésta, al final, siempre nos falla.

El cuarto río, el Eufrates, significa aquí el cuerpo o la materia, el Caballo Pálido. Constituye un hecho notable que este río haya venido cambiando constantemente su curso, incluso durante épocas históricas. Los geólogos han encontrado huellas de siete diferentes lechos del Eufrates que se han venido formando en los últimos 2.000 años[10]. La inestabilidad de la materia es bien conocida para cualquier estudiante de metafísica, siendo a aquélla a la que se hace mención en esta referencia.

Tenéis que daros bien cuenta de que, mientras se encuentra en el interior del Jardín del Edén, el río es sólo uno y de que se divide en cuatro ramas al salir del Paraíso. Sólo cuando el hombre recobre su realización de su unidad con Dios se quedará a solas con su conciencia espiritual pues habrán desaparecido todas las cosas de menor importancia.

Y Dios Nuestro Señor reunió a todos los animales de la tierra y aves del cielo y se los mostró a Adán para ver cómo quería llamarlos. Y cada criatura viviente fue llamada desde entonces por el nombre que le puso Adán (Génesis 2:19).

---

10. El Field Museum, de Chicago, cuenta con un interesante mapa en relieve que muestra lo expuesto.

Sabemos que, en la Biblia, el nombre de cualquier cosa significa su naturaleza o carácter, y aquí vemos cómo las creencias y convicciones de Adán le llevan a señalar a cada animal con una determinada naturaleza u opinión y que, una vez hecho esto, el animal pasó a llevar esa característica en lo que concernía a Adán. Nosotros nos vemos afectados no por la verdadera naturaleza de las cosas, sino por lo que *creemos* es su verdadera naturaleza. Con lo que tienes que convivir no es *en realidad* con cosas o gente, sino con tu idea de las cosas y la gente. Como ya hemos dicho en lenguaje técnico, lo que ves es tu propia idea. No conoces al auténtico Jones; todo lo que conoces es tu idea de Jones, que puede o no ser suficientemente correcta. Lo mismo ocurre con las cosas. Sabemos, por ejemplo, que a algunas personas les encanta el frío y que se encuentran felices y contentas cuando lo hace, mientras otras enferman cuando la temperatura desciende demasiado y llegan a paralizarse mentalmente. También tenemos que tener muy en cuenta que nada puede afectarnos a menos que se introduzca en nuestras mentes. A un europeo en mitad de Africa no le produce daño alguno una superstición local que casi hace que un nativo se muera de miedo, porque el hombre blanco no cree en ella. Naturalmente, el hombre blanco cuenta con muchísimas supersticiones propias con las que es debidamente castigado y a las que el africano, que jamás las ha oído, es totalmente inmune. Este es el significado del dicho metafísico de que, si mantienes una idea fuera de tu mente, no podrá afectarte; sin embargo y como siempre, has de recordar que puede encontrarse en tu subconsciente sin que tú lo sepas. Todos hemos recibido durante nuestras infancias cantidad de sugerencias negativas por parte de personas bien intencionadas que decían que debíamos evitar las corrientes o que no podríamos digerir determinado pescado o que teníamos unos pulmones sumamente delicados y cosas por el estilo.

También es verdad que los buenos pensamientos, tales como los que se puedan tener sobre el Amor Divino, la salud o el éxito, no pueden tener efecto alguno sobre nosotros si los tenemos fuera de nuestras mentes, por lo que debemos incorporarlos con aplicación mediante la oración y la meditación diarias.

La enfermedad no puede tener efecto sobre ti si tu mente cree intensamente en la salud y, si no es así, ninguna dieta o régimen en el mundo podrá curarte o mantenerte vivo.

Si alguien te odia, ese odio no puede tener ningún efecto sobre ti mientras sea el odio de alguien; no el tuyo. Pero, si existe odio en *tu* corazón, éste puede causarte daños sin límite dependiendo de su intensidad. Si cuentas con lo que llamamos una conciencia de prosperidad, no podrás experimentar la pobreza por muchas cosas que ocurran en el mundo exterior; todo lo que necesitas proviene de *algún lugar*, y si tienes una conciencia de pobreza, la prosperidad no se quedará contigo por mucho que lo intentes. Es digno de tenerse en cuenta que la gente que gana grandes sumas de dinero mediante el juego —sea en las carreras o haciendo que la banca quiebre en un casino— suelen perder sus ganancias en corto plazo y no obtienen ninguna felicidad ni bienes duraderos de aquéllas. Al final, todos expresamos siempre nuestra conciencia, siendo el hacer que mejore esta conciencia la única forma de que mejoren las cosas.

"Y Dios Nuestro Señor hizo que Adán se viese poseído por un profundo sueño y se durmiese. Entonces tomó una de sus costillas y cerró la carne donde había estado.

"Y Dios Nuestro Señor, con la costilla que le había quitado a Adán, hizo una mujer y se la acercó al hombre.

"Y dijo Adán: Esta es hueso de mis huesos y carne de mi carne. Se llamará Mujer porque fue hecha del Hombre." (Génesis 2:21-23).

"Y Adán llamó a su mujer Eva, porque era la madre de todos los seres vivientes." (Génesis 3:20).

Adán fue embargado por un profundo sueño, y la Biblia no nos menciona si se despertó, y la verdad es que nuestras vidas materiales no son más que un sueño de limitaciones, temores y separación de Dios. "Despierta tú que duermes, levántate de entre los muertos, y Cristo te dará la luz."[11]

Es sumamente interesante y significativo señalar que la palabra mujer quiere decir en realidad "una con" o "parte de" el hombre y que subraya el hecho de que el cuerpo y la mente son uno y que, de hecho, el cuerpo constituye solamente la encarnación o representación de la mente. Son muchos los filósofos que han dicho del cuerpo que es el ropaje con que se viste el alma o el vehículo en que viaja o la vasija que la contiene, como un vaso contiene el agua. Sin embargo, todas estas comparaciones son falsas. El cuerpo no es ningún ropaje ni vasija, sino la representación auténtica del alma o mente. El cuerpo, si preferís, constituye la sombra que arroja la mente y la copia con todo detalle. Adán siente de manera intuitiva que él y la mujer son una sola cosa y la llama Eva por ser la madre de todo lo que existe. La única creadora es la mente.

"Por ello, el hombre abandonará a su padre y a su madre y partirá con su mujer y ambos tendrán una misma carne." (Génesis 2:24)

En la Biblia y por regla general, los padres de uno re-

_____

11 Efesios

presentan el propio pasado porque es corriente creer que nuestras actuales condiciones vienen causadas por sucesos pasados y que, por lo tanto, el ayer es padre del hoy. Al decir Jesús al hombre que no volviese a enterrar a su padre, por supuesto no sugería que dejase de lado deberes y decoros de la vida. Lo que quería decir era que ese hombre debía dejar de pensar que se encontraba limitado por los errores pasados. Ese hombre estaba con toda probabilidad abrumado por algún remordimiento o resentimiento relacionado con su pasado y, por consiguiente, se mantenía fuera del Reino. La lección que se debe extraer es que el único pensamiento con que debemos tratar es el presente y que, si logramos eso, experimentaremos la armonía, porque el ayer carece de poder sobre el hoy a menos que creamos lo contrario.

La experiencia de hoy está causada sólo por las ideas y creencias de hoy y no por las ideas, acontecimientos o condiciones de ayer, por mucho que las apariencias muestren lo contrario.

Puedes estar seguro de que no eres esclavo del ayer. Cualquier esclavitud de hoy sólo puede proceder de las ideas de esclavitud de hoy. Cambia tu idea de hoy, y las condiciones de hoy cambiarán consecuentemente, porque Adán y Eva son uno.

De la misma manera en que Adán representa al ser humano engañado por la serpiente, Jesús representa al poder de Cristo, que no es sino la comprensión de la Verdad que, al fin, libera a Adán. Cuando sufrimos una creencia errónea se trata del reconocimiento de la Verdad que nos libera. Si creyeses que sufrías una enfermedad grave, experimentarías todos los miedos y preocupaciones que podrían derivarse de tal estado, pero, si alguien en cuyo juicio tuvieses confianza –como un médico de fama– te dijese que no tenías esa enfermedad, todos tus temores y preocupaciones desaparecerían inmediatamente. Date bien cuenta de que el médico no habría curado tu enfermedad. No hubiese podido porque no la tenías; pero sí te sanó de una creencia errónea. Esto es lo que hace la Verdad de Cristo.

"Pero ahora Cristo se ha alzado de entre los muertos y transformado en los primeros frutos de quienes dormían.

"Porque desde que la muerte llegó por el hombre, también por el hombre llegó la resurrección de los muertos.

"PORQUE AUNQUE TODOS MURAMOS EN ADÁN; TODOS VOLVEREMOS A VIVIR EN CRISTO.

"Pero cada hombre por su propio orden: Cristo, los primeros frutos, y después, aquellos que son de Cristo a su llegada.

"A continuación llegará el fin, cuando haga entrega del Reino de Dios Padre, cuando acabe con todo dominio, autoridad y poder.

"Porque habrá de reinar hasta tener a todos sus enemigos a sus pies.

"Y el último enemigo en ser destruido será la muerte." (1 Corintios 15:20-26)

Para ahora ya habrás entendido que no eres un cuerpo físico, sino una mentalidad; que, como tal, tienes ciertas creencias y una determinada capacidad de comprensión, y que lo que haces es exteriorizar el resultado neto de todas esas creencias y comprensión. Esta exteriorización constituye tu cuerpo, lo que te rodea por fuera y, de hecho, toda tu experiencia. Con el paso del tiempo, tu mentalidad mejora o declina de acuerdo con tu manera de pensar, y la exteriorización de tu vida cambia según lo hace aquélla.

Sólo la oración –la fuerza de Cristo– puede hacer que las cosas mejoren, porque en la realidad no hay ninguna otra cosa que te pueda cambiar. Mientras sigas siendo la persona que eres, tendrás el mismo tipo de vida que tienes ahora, aunque, en cuanto cambies, te convertirás en una persona diferente, con lo que tus condiciones también cambiarán. Esto es lo que se dice volver a nacer. Esto es el levantamiento del poder de Cristo. Y si Cristo no se levanta, ninguna de nuestras actividades sirve para nada. Pero, cuando el poder de Cristo se alza, va, poco a poco, superando todos los obstáculos y domeñando todos los dominios, autoridades y la fuerza de la creencia en la separación. Por fin, cuando haya desaparecido todo vestigio de creencia en la limitación, la muerte también será vencida, y te convertirás en un pilar del templo de Dios y ya no necesitarás salir nunca[12].

Adán y Eva se autoexpulsaron del Paraíso al aceptar el temor y la duda, pero Cristo les abre la puerta oriental y los vuelve a admitir.

---

12. Apocalipsis 3:12.

La Torre de Babel

Cualquiera que haya tenido la más leve relación con la Biblia conoce la historia de la Torre de Babel[1]. Se trata de una narración tan sencilla, concreta y clara que, si de niño la oíste una vez, nunca te habrás olvidado de ella. No encierra ningún tipo de sutilezas ni de oscuras doctrinas, como alguna Epístola. Es una narración corta y clara, pero de importancia transcendental.

Por supuesto que se trata de una parábola. La palabra "Babel" quiere decir confusión, y, para ser breves, la parábola enseña que, cuando niegas la omnipotencia de Dios, cosa que haces cada vez que das poder a alguna otra cosa, como materia, clima, temor, etc., sólo puedes esperar confusión y preocupaciones. Ser culpable de este error o pecado es en realidad tener muchos dioses, lo que constituía uno de los defectos característicos de los paganos. En el momento en que pierdes la unidad de Dios,

---

1. Génesis 11:1-9.

has perdido a Dios en tu corazón. Quienes conocían la verdad sobre Dios le adoraban a El y sólo a El y recibían la protección y la inspiración que solamente la Verdad puede conceder, con lo que, mientras fuesen fieles a la Verdad, todo les iba viento en popa. A veces, sin embargo, muchos de los que habían conocido la Verdad se olvidaban de ella durante una temporada, con lo que, de manera inevitable, las cosas empezaban a ir de mal en peor, aunque, si volvían a recordar al Dios único y se volvían a Él de todo corazón, las cosas volvían a arreglarse. "No antepondrás ningún dios a Mí."

Si tú, lector, tuvieses cualquier tipo de dificultades, es seguro que –sin duda, sin intención alguna– has venido cometiendo, de una o varias maneras, el pecado de los paganos: no has puesto verdaderamente a Dios en el primer lugar de tu vida y, por tener miedo de ellas, has estado dando poder a algunas condiciones externas. Puede ser que, en determinado momento, hayas visto lo más elevado y te hayas decidido de manera deliberada por lo más bajo; en cualquier caso, la explicación es la misma, pero si ahora te vuelves a Dios una vez más de todo corazón y reafirmas tu fe en El, todo se arreglará.

La historia empieza diciendo que *Toda la tierra tenía la misma lengua y forma de hablar;* es decir, que existía una unidad de pensamiento y de expresión. Esto representa la época en que tu fe era firme y dinámica, pero que después dejaste que tu pensamiento se fuese separando en cierta medida de la Verdad. Bajo un punto de vista técnico, lo que hiciste fue permitir que tu conciencia fallase. El segundo versículo expresa esto de la siguiente manera: *Y ocurrió que, mientras viajaban desde el Este, encontraron una llanura en la tierra de Shinar y allí se quedaron.*

El significado de la llanura es siempre temor, duda y todo tipo de pensamiento negativo, en contraposición a la colina o monte, que representa la oración o el pensamiento espiritual. Aquella gente permitió que sus pensamientos decayesen a un bajo nivel de egoísmo y miedo, y la Biblia menciona el hecho de que no se trató de un lapso momentáneo, sino que *se quedaron* en aquella llanura o estado mental. Al igual que la palabra "Babel", la palabra "Shinar" también significa confusión. Constituye un hecho del mayor interés que la mayoría de los nombres que aparecen en la Biblia, sean personales o geográficos, cuenten con un significado interior que subyace en el texto.

La razón de mencionar que *se quedaron* en Shinar no es otra sino la de hacer resaltar el hecho de que lo que causa el daño no es un ocasional pensamiento negativo, sino la idea o falsa creencia que se considera con frecuencia.

Los pensamientos erróneos y creencias falsas habituales y considerados durante mucho tiempo no sólo producen temores, sino que además van construyendo una convicción, tanto consciente como subconsciente, de que *no nos queda más remedio que fiarnos de nosotros mismos*. Nada, por supuesto, más descorazonador que esta idea que, a su vez, produce más y más temor y así sucesivamente. Cuando nos encontramos en tal estado, pensamos cada vez menos en Dios y, por lo general, tenemos que llevar a cabo desesperados aunque tristes esfuerzos de fuerza de voluntad.

En la parábola, aquellas gentes tuvieron la absurda idea de que podían alcanzar el cielo –o recuperar la armonía– construyendo una torre material que, de hecho, llegaría hasta el firmamento en que suponían se encontraba el cielo. Como es natural, el cielo sólo puede alcanzarse en el interior del corazón de cada uno y mediante la oración y el pensamiento recto. No existe ningún camino al cielo que no sea éste, pero aquellas personas estaban tan atemorizadas que temían ser *dispersadas por toda la superficie de la tierra.*

Lo mencionado más arriba describe a la perfección la sensación de inseguridad y de aprensión que siempre se ha apoderado de la mayor parte de la humanidad por no haber ésta conocido o incluso realizado en parte la Omnipresencia y la Omnipotencia de Dios y su unidad esencial con Él. Jesús no dijo que construyesen una torre material que llegase al cielo; lo que Él dijo fue deberíamos entrar en la cámara secreta de nuestro propio corazón, cerrar la puerta y darnos cuenta de la Presencia de Dios.

A nosotros nos es fácil ver que aquellas gentes actuaban de forma absurda y frívola, pero ¿no hemos hecho nosotros prácticamente lo mismo infinidad de veces? Después de haber estudiado esta parábola, tenemos que tomar la resolución de evitar este error en el futuro con todos los medios con que contemos.

Un punto importante a tener en cuenta es que aquella gente decidió construir su torre con ladrillos. La Biblia considera nobles a algunos materiales, y bajos, a otros. Entre las piedras, el mármol es el noble, y el ladrillo, el bajo, por lo que, como era de esperar, construyeron su torre con ladrillo. El ladrillo –tengámoslo en cuenta– constituye un producto artificial y está hecho con arcilla de la tierra, mientras el mármol no está hecho por el hombre. Además, en vez de argamasa utilizaron un cierto tipo de barro del que no se podía esperar que mantuviese entera la obra durante mucho tiempo. Naturalmente, todo esto es puro simbolismo y no quiere decir ni por un momento que no debamos utilizar ladrillos para construir nuestras casas o torres materiales.

La parábola también nos dice que una de las razones de aquella gente para erigir la torre de Babel era la de hacerse un *nombre*. En la Biblia, el nombre de cualquier cosa significa la naturaleza de la misma, y, en ese sentido, nuestro "nombre" debe proceder de Dios porque solamente El puede cambiar nuestra naturaleza o carácter. *Le daré una piedra blanca en la que habrá inscrito un nuevo nombre*[2].

Después, la narración prosigue diciendo que el Señor se enfadó, que diseminó a aquellas gentes por todo el mundo y que confundió su lengua para que no pudiesen entenderse unos con otros. En este sentido, la palabra "Señor" quiere decir ley o, más bien, lo que la gente creía que era la ley. No se refiere a Dios. Aquello en lo que creemos de verdad es lo que gobierna nuestras vidas. Podemos –y todos los hacemos– crear leyes limitativas para nosotros mismos, con lo que tendremos que vivir bajo su férula. *El Señor endureció el corazón del Faraón*[3]. Estas palabras no significan que Dios endureció el corazón del Faraón porque no es ésa la naturaleza de Dios. Lo que quiere decir es que el Faraón endureció su propio corazón y se convenció a sí mismo de que no hacía sino la voluntad de Dios. Muchísima gente a lo largo de toda la historia ha hecho precisamente lo mismo, infligir crueldad e injusticia a otros diciendo que ésa era la voluntad de Dios.

La confusión de las lenguas constituye una descripción gráfica del estado mental de aquellos que no han comenzado todavía a centrar sus mentes en Dios, porque sólo temor y caos pueden sucederles hasta que lo hagan.

No pierdas más tiempo y energía en construir torres de Babel. Todas ellas se derrumban al poco tiempo y te

---

2 Apocalipsis 2:17
3. Exodo 9:12

dejan peor que antes. Las torres de Babel se edifican comenzando desde el suelo y con gran trabajo; primero, fabricando los ladrillos y, después, poniéndolos lentamente uno encima de otro. El verdadero edificio o ciudad –la nueva Jerusalén– no se construye desde el suelo con trabajo, sino que baja del cielo entera y perfecta, como un regalo del propio Dios[4]. En otras palabras, llega como resultado de nuestras oraciones y de nuestra fe en la bondad de Dios y en su infalible providencia. La nueva Jerusalén nos aporta armonía, paz, éxito duradero y enorme alegría.

---

4. Apocalipsis 21:12

Dios, el liberador (Salmo 18)

Hoy en día, todos sabemos que el miedo es el mayor enemigo del hombre. Si te liberas del miedo que pueda producir cualquier peligro, éste no puede causarte mal alguno. No es ningún tópico el dicho de que "no hay nada que temer excepto el propio temor."

Este maravilloso Salmo constituye uno de los tratamientos u oraciones con más poder contra el miedo. Si temes algo, léelo detenida y atentamente en su totalidad o sólo en parte, date cuenta del significado espiritual de cada versículo y enseguida tu temor comenzará a disminuir para, finalmente, desaparecer.

La ventaja de una oración o tratamiento escrito, como éste, es la de que te hace tener determinados y poderosos pensamientos curativos, y, como ya sabes, es el pensamiento correcto el que demuestra. Por supuesto, no es el propio Salmo el que realiza el trabajo, sino el cambio que produce en tu forma de pensar.

En los primeros tres versículos, se abre con una afirmación de fe en Dios. Empieza siempre tus oraciones pensando en Dios –aunque sólo sea por un momento– y afirmando tu fe y confianza en El.

El primer versículo dice: *Te amaré, oh Señor, mi fortaleza.* Al leer esto, afirmas que vas a amar a Dios. El miedo siempre significa que uno no tiene bastante fe en Dios y amor hacia Él, porque, si no, ¿por qué temer?

A continuación, sigues diciendo que Dios es tu roca, tu fortaleza y tu *liberador;* que Dios es tu fuerza y tu escudo y que vas a confiar en Él. Es entonces cuando piensas en Él como tu cuerno de salvación y tu torreón. En la Biblia, el cuerno constituye un símbolo de poder y, como es natural, el torreón es un lugar seguro que significa una elevada concienciación a la que la planta rastrera del miedo no puede llegar, y llegas a afirmar que te verás salvo de los peligros de los que tan temeroso te habías mostrado.

A veces, al llegar a este punto, tu miedo se habrá evaporado o quizá lo haga tras una pequeña oración de cualquier tipo, aunque algunas veces no sea éste el caso. Si el miedo es grande, lo más probable es que tome mucho tiempo el vencerlo, aunque, si mantienes tu fe en Dios, es sólo una cuestión de tiempo el que te liberes y, por lo tanto, te veas a salvo.

Al llegar a este momento, el salmista, pensando en una de sus propias experiencias, dice que las penas del infierno le envolvían y que las redes de la muerte –un profundo pavor– le impedían moverse, pero que "clamó" a Dios –seguía rezando– y que Dios vino a rescatarle.

El autor sigue describiendo cómo todo mejoró como resultado de su oración y cómo el acto de Dios transformó la situación de gran peligro a perfecta seguridad. La descripción constituye por sí misma un bellísimo poema y consiste en unas cuantos símbolos y figuras gráficas en el más puro estilo de la Biblia.

Dice que la tierra tembló y se agitó y que hasta las mismas montañas se movieron porque Dios estaba airado. Naturalmente, la "tierra" significa el ambiente que te rodea, tu cuerpo, y todos los condicionamientos exteriores que constituyen tu experiencia vital en el momento actual. Por ello, el temblor y agitación de estas cosas quiere decir que tus condicionamientos han cambiado para mejorar, como es natural. La "ira" de Dios, en el lenguaje bíblico, siempre se debe traducir por la *actividad* de Dios. No significa enfado.

1. *De sus narices salía humo y, de su boca, un fuego devorador que encendía brasas.*

2. *También doblegó a los cielos, que descendieron. Y puso a la oscuridad bajo sus pies.*

3. *Y se montó sobre un querubín y se echó a volar. Sí, y voló sobre las alas del viento.*

4. *Hizo de la oscuridad su escondite, y su morada estaba hecha de oscuras aguas y de espesas nubes.*

5. *Ante la luminosidad que estaba frente a él pasaron sus espesas nubes y el granizo y brasas ardientes.*

6. *El Señor también tronó en los cielos y mostró su voz: piedras de granizo y brasas de fuego.*

7. *Sí, lanzó sus flechas e hizo que se dispersasen. Y descargó relámpagos y les desconcertó.*

8. *Entonces, Oh Señor, ante tu reprimenda y explosión de aliento de tu nariz, se vieron los cauces de las aguas y los cimientos del mundo.*

El versículo 16 resume la experiencia con hermosa sencillez: *Envió a por mí desde las alturas, me tomó y me extrajo de todas aquellas aguas.*

El autor prosigue diciendo que Dios le salvó de su *poderoso enemigo y de quienes me odiaban, porque eran demasiado fuertes para mí.* Por supuesto que los enemigos y quienes le odiaban no eran sino sus propios temores y dudas, y, también por supuesto, todo esto es aplicable a todos nosotros.

El versículo 19 dice que *Me llevó también a un lugar grande y allí me dejó porque se complacía en mí.* ¿No es maravilloso que Dios nos lleve a un lugar *grande?* ¿No expresa de singular manera la sensación de ser sacado de un calabozo y llevado al aire libre y a la libertad? A continuación dice *y allí me dejó porque se complacía en mí.* Dios se complace siempre en sus criaturas, y este versículo quiere decir en realidad que, al ser liberado del calabozo de sus temores, el salmista comenzaba a experimentar la delicia que la paz mental aporta naturalmente.

El autor dice después que Dios le premió conforme a su rectitud. Esta palabra, en la Biblia, siempre significa pensamiento recto.

Y ahora viene la significativa afirmación de que *según la limpieza de mis manos, me recompensó.* Esto se refiere al recto proceder o modo de pensar. La mano siempre es sinónima de la actividad, por representar el poder ejecutivo del hombre. Tener las manos limpias quiere decir que uno viene intentando vivir la vida de Cristo. No debemos olvidar jamás que poca fuerza alcanzarán nuestras oraciones si no intentamos honradamente vivir de la mejor manera que sepamos. El no intentar vivir este tipo de vida es prueba de que no creemos en nuestras oraciones, aunque creamos que sí lo hacemos, porque SIEMPRE HACEMOS AQUELLO EN QUE CREEMOS. La peor manera de engañarse uno a sí mismo es la de pensar "creo en tal cosa, aunque sé que no la hago siempre." Si crees, la harás.

A continuación llegamos a una de las afirmaciones más profundas que sobre la ley espiritual se hayan hecho, incluso en la misma Biblia: *Con el clemente, te mostrarás clemente; con el honrado, te mostrarás honrado; con el puro, te mostrarás puro, y con el obstinado, te mostrarás obstinado.* (Versículos 25 y 26).

Lo anterior consiste en una categórica confirmación de la ley de que literalmente cosecharemos lo que plantemos. Si somos clementes con los demás, recibiremos clemencia del universo, y si somos sinceros y honrados, el mundo será sincero y honrado con nosotros. Los puros de mente –y, en la Biblia, la palabra "puro" se aplica no solamente a la pureza física, sino a la lealtad a Dios en todas las fases de la vida del individuo– serán recompensados con una paz y una armonía que nada podrá disipar. Por otra parte, el obstinado, que, en la Biblia, quiere decir falto de cualquier tipo de escrúpulos, es seguro que lo único que aporte a la vida sea sufrimiento y desastre.

Naturalmente, el único lugar en que te puedes mostrar clemente u honrado o puro o falto de escrúpulos es en tu propio corazón o conciencia, porque es ahí donde te levantas o caes, siendo tus palabras o hechos nada más que la expresión exterior de lo que hay dentro de tu corazón.

Es obvio que estos versículos no quieren decir literalmente que Dios envía esas cosas. Son solamente el resultado automático de la ley natural. Dios, en su infinita sabiduría, ha creado las leyes del universo y ha dejado que funcionen por sí mismas. No interfiere constantemente en las transacciones de cada individuo, como cree mucha gente simple. Si fuese así, no existiría ninguna ley ni Dios sería el Principio.

El autor añade a estos pensamientos una cláusula adicional al recordarnos que el orgullo espiritual conduce a la caída, pero que la verdadera humildad y el arrepentimiento siempre atraen el perdón. Deberías volver a leer la parábola del fariseo y el publicano[1].

Acto seguido, el salmista se traslada a otra faceta de la enseñanza. Hace que el lector diga o piense: *"Encenderás mi vela. Mi Dios y Señor alumbrará mis tinieblas.*

Son muy numerosas las comparaciones que muchos profesores de religión han ofrecido para ilustrar la relación existente entre Dios y el hombre. Una de las más conocidas y útiles es la de pensar en el hombre como en una chispa procedente de una gran hoguera que es Dios. La chispa no constituye la totalidad de la hoguera, pero es parte de ella y, por lo tanto, de su misma naturaleza, poseyendo, en potencia, todas las características del fuego de donde procede. Puede encender muchas cosas sobre las que pudiera caer, produciendo, como consecuencia, otra hoguera de la misma naturaleza básica que la original, que creciese a gran velocidad, especialmente si fuese estimulada por la brisa. Todo ello ilustra el crecimiento de tu alma, constituyendo, como es natural, la oración la brisa que anima al fuego.

Este crecimiento espiritual te conferirá una enorme fuerza para vencer dificultades y avanzar en el camino. Y el salmista, pensando en alguna de las veces que, en el pasado le ocurrió esto, dice: *Porque por ti he atravesado corriendo la tropa, y por ti he saltado por encima de una barrera.* Lo que quiere decir es que era como un hombre solo capaz de cargar a través de toda una tropa sin que ésta pudiese hacerse con él. Dice también que esta ayuda

_____
1 Lucas 18:10-14

110

le hizo posible saltar por encima de una barrera. Por supuesto, tendría que tratarse de una barrera alta, porque, si no, no valdría la pena mencionarla. Todos nos hemos visto en algún momento confrontados con alguna dificultad que se asemejaba a un muro insuperable, pero la fe en Dios nos posibilita salvar el obstáculo contra viento y marea.

A continuación, nos recuerda que el camino de Dios es perfecto. La oración jamás nos trae problemas ni a nosotros ni a nadie. Sólo puede ser buena y mejorar cualquier situación, y no hay más Dios que el Dios único. Cuando confiamos en nuestro propio esfuerzo o, de hecho, contemplamos algo que no sea Dios –"la roca"–, sólo perdemos el tiempo. El autor del Salmo prosigue diciendo una vez más que Dios te dará fortaleza y hará que tu camino sea perfecto. Esto significa que tus diversas faltas y recaídas no pueden echarte atrás mientras intentes sinceramente deshacerte de ellas.

Dice, en el pintoresco lenguaje de la Biblia, que Él hará que tus pies sean como *patas traseras*, lo que implica un pie muy rápido o rápidas respuestas a la oración.

Pasa después a decir que Él te pondrá en tu elevado lugar. En otras palabras, que Él elevará tu consciente para que automáticamente puedas demostrarte. Te enseñará a orar de una manera mejor a la que hasta ahora has venido utilizando (enseñar tus manos a hacer la guerra). Te protegerá de cualquier mal y Su mano derecha te levantará. Cuando rezamos, Dios actúa siempre de forma suave y amable y en beneficio de todos los interesados. *Tu amabilidad me ha hecho grande.*

La parte que se extiende desde el versículo 37 al 43 ilustra –siguiendo el habitual lenguaje de la Biblia– las demostraciones o superaciones que hayan producido tus oraciones. Hablan otra vez de enemigos vencidos y destruidos, y, como siempre, esos enemigos no son sino tus propios temores, dudas y faltas.

La parte que sigue trata del dominio que adquirirás sobre tu propia mente. Las "extrañas" constituyen nuestras faltas y debilidades más importantes porque, por muy familiarizados que nos encontremos con ellas en la mayoría de los casos, no son sino extrañas a nuestros auténticos yos, y es seguro que *se desvanecerán*.

Después, el autor pasa a alabar a Dios y a agradecerle Su bondad. Sabrás probablemente que la acción de gracias es una de las formas más poderosas que tiene la oración.

Para acabar, dice que Dios procuró una *enorme liberación a su rey* y que *mostró clemencia hacia Su ungido, hacia David y hacia su semilla para siempre jamás*. Tú eres Su rey. Dios pretende que todos seamos reyes mediante el ejercicio del poder espiritual. David, en la Biblia, representa al Amor Divino, por lo que cuanto mayor sea al amor que tengamos en nuestros corazones, mayor será la fuerza de nuestras oraciones. La semilla de David la constituyen nuestras demostraciones, que habrán de ir aumentando durante toda la eternidad.

El zodiaco y la Biblia[1]

No hace mucho tiempo se han puesto de moda de nuevo las charlas sobre el fin del mundo. Una vez más se escriben artículos periodísticos y se celebran conferencias públicas, tanto en América como en Gran Bretaña, en los que se realizan afirmaciones más o menos sensacionalistas sobre el hecho de que el fin del mundo está al caer en cualquier momento. Nunca desde el comienzo de la Primera Guerra Mundial se habían movilizado tanto los profetas en este sentido, y hasta ha habido en diversas ocasiones casos de grupos de gente que se han pasado sentados durante toda la noche esperando el final.

---

1. Se trata del tema de una conferencia pronunciada por Emmet Fox en el Victoria Hall, de Londres, el 6 de septiembre de 1933. Los lectores deberán considerar que la reproducción actual se publicó por vez primera en la primavera del año 1938 –casi cinco años después- y que algunos de los cambios en el mundo que se predijeron entonces se han producido en la realidad.

Pero el antiguo refrán que dice que no hay humo sin fuego se vuelve a hacer realidad en esta ocasión, porque, tras todas esas especulaciones y conversaciones, yace, sin duda alguna, una gran verdad; verdad que en este Capítulo I nos proponemos explicar exactamente en qué consiste.

El hecho real es que, aunque no sea verdad que el fin del mundo –en el sentido más común del término– se nos eche encima, sí lo es que nos encontremos en el umbral de una nueva era. Acaba de terminar una época y otra está a punto de comenzar. Y no es más que este tremendo cambio en el desarrollo de la raza humana lo que gentes de todo tipo vienen detectando por todo el mundo. En otras palabras, la humanidad está entrando ahora en una nueva era de su historia, lo que quiere decir que la mayor parte de las antiguas ideas con que nos educaron ha pasado totalmente de moda y que no nos queda más remedio que adaptarnos a una nueva perspectiva de la vida. Una perspectiva de la vida completamente nueva –fijáos bien–; no un simple cambio de colocación de viejas ideas en nuevos formatos, como el cambio de una república en una monarquía o de una monarquía en una república; el asentamiento de una iglesia y el de otra que rivalice con aquélla; el trueque de King Log por King Stork o el canje de Tweedledum por Tweedledee. Se trata de un cambio desde los cimientos de todos nuestros valores básicos, de una manera completamente diferente de contemplar los problemas de los humanos. Se trata de una nueva era.

Es mucha la gente que contempla consternada en su derredor lo que hoy día se ve en el mundo. Antiguos hitos, como el Imperio Austríaco, el Imperio del Zar, el Imperio de los Hohenzollern o el Imperio Otomano han desaparecido en unos pocos años. El antiguo Imperio

114

Chino, en Oriente, y la Monarquía Española, en Occidente también se han desvanecido. La mayor explosión de crecimiento que se recuerda en la historia fue seguida por la mayor depresión. El Gobernador del Banco de Inglaterra ha afirmado en público que, tras meses de investigación, no entiende las causas que produjeron la depresión y que no tiene en su mano ningún remedio para solucionarla. No hace mucho, las iglesias ortodoxas eran más que adecuadas para cubrir las necesidades de una población mucho menos numerosa, y ahora se quejan sus clérigos de la cantidad de bancos vacíos con que se encuentran domingo tras domingo, y la razón no es sino la de que las antiguas sanciones teológicas que tan importantes se consideraban en otro tiempo ya no son tomadas en serio por la mayoría de las grandes masas del pueblo. De hecho, se suele decir muy frecuentemente y con un deje de amargura que nada es ya como era antes; todo ha cambiado. El general Smuts decía hace unos años: "La humanidad ha desmontado sus tiendas y de nuevo se ha puesto en marcha."

Lo anterior es completamente normal dadas las circunstancias, pero, una vez que contemos con la clave del móvil principal de la historia de los humanos, ya no nos sorprenderemos ni nos desanimaremos por todos estos sucesos. Con independencia de lo que los próximos años encierren –y, sin duda alguna, nos van a enseñar cosas sumamente sorprendentes–, no nos sentiremos alarmados o preocupados si nos damos cuenta de lo que en verdad está ocurriendo.

La historia de la humanidad sigue su curso no de forma fortuita ni casual, sino a través del despliegue de determinados períodos o edades diferentes. Cada uno de estos períodos cuenta con sus propias características, lecciones que enseñar y labores que llevar a cabo, siendo cada uno de ellos completamente diferente en todos aspectos a su antecesor y no una simple extensión o mejora de él. Cada una de estas eras viene a durar, aproximadamente, dos mil años o, para ser más exactos, unos dos mil ciento cincuenta años, estando el paso de una era a otra siempre acompañado por tormentas y tensiones de carácter tanto interno como externo como las que el mundo viene recientemente atravesando. El último cambio tuvo lugar hace un par de miles de años, y el nuevo mundo que se formó a partir de aquel crisol fue la civilización cristiana occidental que conocemos. Al haberse agotado esta gran empresa y haber cumplido su misión, ha llegado a su fin, y una nueva era se cierne ya sobre nosotros.

Al relacionarnos con las idas y venidas de estas diferentes eras, se hace necesario familiarizarse con el fenómeno natural denominado Precesión de los Equinoccios. No hace falta ser universitario para poseer conocimientos generales de astronomía; baste con saber que, al mirar desde nuestro globo terráqueo las innumerables miríadas de cuerpos estelares que nos rodean, el eje de la tierra parece que traza un inmenso círculo en el firmamento cada veintiséis mil años, sobre poco, más o menos. Este inmenso círculo, que se conoce por el nombre de Zodíaco, está dividido en doce particiones o sectores, señalando cada una de estas particiones –también llamadas "signos" por los antiguos– el paso del tiempo que ocupamos atravesando una de nuestras "Eras".

Este Zodíaco constituye uno de los más interesantes símbolos que reveladores del destino de la humanidad. De hecho, el Zodíaco, con sus doce signos, simboliza el elemento más fundamental en la naturaleza del hombre. Se trata, ni más ni menos, que de la clave de la historia de la raza humana, de la psicología de cada individuo y de su regeneración o salvación espiritual. La Biblia, que,

116

como es natural, es la gran fuente de la Verdad, tiene al Zodíaco corriendo por sus páginas desde el principio hasta el fin. Los doce hijos de Jacob, que se convirtieron en las doce tribus del Antiguo Testamento, y los doce Apóstoles del Nuevo, son –aparte de su identidad histórica– expresiones especiales de los doce signos del Zodíaco. La clasificación de las doce tribus de Israel por estricto orden astronómico en el gran campamento del desierto constituye un primer ejemplo de este simbolismo zodiacal que el lector podrá comprobar por sí mismo.

El conocimiento de este algo misterioso –el Zodíaco– se produce en todo el mundo, en todas las razas y en todas las épocas. Excavaciones realizadas en las ruinas más antiguas de Asia han revelado representaciones del Zodíaco, y tanto los primitivos como posteriores egipcios eran buenos conocedores de él. Los caldeos eran maestros en el tema. Sus símbolos estaban grabados sobre los templos de Grecia y Roma. Los aborígenes americanos de México y Perú estaban profundamente informados sobre él. Los escritos chinos más remotos también lo mencionan, e, inesperadamente, también ha surgido en algunas islas olvidadas del Pacífico. Pitágoras lo enseñó en la Antigüedad, como es natural, y fue incorporado a la piedra de más de una catedral medieval. El Gran Círculo de Stonehenge no es en realidad sino una especie de Zodíaco, y sus doce signos, maravillosamente trabajados, figuran entre los adornos de varios de los más modernos y altos rascacielos de Nueva York.

Pero, ¿cuál es el verdadero significado del Zodíaco, que de manera tan universal empapa toda la cultura humana? Constituye un hecho curioso y sumamente interesante que los hombres vienen empleando constantemente –y, por tanto, perpetuando– símbolos de cuyo significado real no son conocedores conscientes. Por ello y con suma frecuencia, las verdades más profundas se ven honradas y expuestas en lo que no parece ser más que un adorno casual.

Por lo general, el Zodíaco ha sido ignorado o tratado como una decoración pintoresca más o también degradado para convertirse en una superstición o una forma de echar la buenaventura. Por ello, nosotros mismos debemos hacernos ahora esta pregunta: ¿Cuál es el significado real del Zodíaco? Y, para contestar a esta pregunta, tenemos que proponer otra: ¿Cuál es la razón verdadera para que la humanidad esté en la tierra? ¿Para qué estamos aquí? ¿Qué significa todo esto? ¿Por qué nacemos y por qué morimos? ¿Hay alguna razón o algún patrón o pauta ocultos? Y si lo hay, ¿cuál es? Y la respuesta a todas estas preguntas es ésta: estamos aquí para aprender la Verdad de Ser. Estamos aquí para ser entidades conscientes de sí mismas y autogobernadas, para constituirnos en puntos focales de la Mente Divina que expresan a Dios cada uno a su manera. Este es el objeto de nuestra existencia, y lo único que tenemos que hacer para darnos cuenta de ello es conocer mejor a Dios, porque este conocimiento es la respuesta a todos los problemas. Todo problema, pecado, enfermedad, pobreza, accidente y la propia muerte se deben sencillamente a una necesidad de conocer a Dios, y, por el contrario, todo éxito, salud, prosperidad, belleza, alegría y felicidad consiste en la posesión de ese conocimiento de Dios. Cuando tenemos cualquier tipo de problema es que, de momento, nuestro conocimiento de Dios no es el adecuado, y la recuperación, que nuestro conocimiento de Dios se ha hecho más claro.

Como es natural, hay gente que efectúa sus progresos con más rapidez que la mayoría. Estos son los líderes y maestros de la raza. Sin embargo, el grueso –si así pudiéramos llamarlo– de la humanidad avanza de manera constante –si bien con mayor lentitud– en el incremento de su conocimiento de Dios. Esta es la realidad que se oculta tras lo que denominamos progreso o evolución. El paso del salvajismo a la barbarie y de la barbarie a la civilización no es nada más que el crecimiento en el conocimiento de Dios. Todo lo que consideramos adelantos científicos, artísticos o sociales; cosas tan diversas como el incremento de la higiene, la educación universal y obligatoria, la abolición de la esclavitud y la emancipación de la mujer, no son sino la expresión externa del crecimiento de la humanidad en el conocimiento real de Dios.

Para conseguir esa comprensión total de todo lo que es Dios, esa comprensión total que constituirá su salvación total, el hombre ha de aprender, por muy poco a poco que lo haga, a conocer a Dios de doce maneras distintas. Suele tomar unos dos mil años aprenderse cada una de estas lecciones, así que podemos, si nos gusta, pensar en nuestro progreso alrededor del Zodíaco como si fuese una asignatura de doce lecciones sobre Dios que tuviésemos que aprendernos. Acabamos de aprender una de ellas y ya empezamos el estudio de la siguiente.

Cada una de estas lecciones recibe un nombre que se le ha asignado por razones de comodidad. Todo debe tener un nombre, aunque, como muchos ya sabemos, nos encontramos con que los nombres –cuando son comprendidos correctamente– son con frecuencia símbolos de las cosas que representan, y nuestras lecciones sobre los "Signos" no constituyen excepción a esta regla. El que acabamos de dejar era el de Piscis o los Peces. El anterior, que pasó hace unos dos mil años, se llamaba Aries o el Carnero. El anterior, Tauro o el Toro, y así sucesivamente. Hay que tener muy en cuenta que todos estos nombres no se refieren ni por asomo a la forma física en que se ven estas constelaciones en el firmamento –no se pueden calcular los esfuerzos vanos realizados en la tarea de trazar un inverosímil parecido a un león, toro o centauro sin existir la menor base para ello–, sino al carácter innato de la lección que tenemos que aprender en el preciso momento indicado por el Signo.

La nueva era en la que acabamos de entrar recibe el nombre de Acuario –el Hombre con el Recipiente de Agua–, y la Era de Acuario va a constituir un capítulo completamente nuevo en la historia de la humanidad. El alumno debe tener esto muy claro. Una edad nueva significa que todo es nuevo, y no solamente el abrillantado de las antiguas ideas del signo de Piscis, a las que la mayoría de la gente comete el error de considerar como las únicas ideas dignas de ser tenidas en cuenta – el único orden natural y establecido de las cosas– en vez de constituir simplemente una de entre un número infinito de expresiones potenciales.

Estamos, de hecho, dentro de los límites de un futuro no muy distante que va a cambiar todo el mundo externo que nos rodea. Nuestras instituciones políticas, sociales y eclesiásticas; nuestros métodos de llevar a cabo el trabajo diario; nuestras relaciones con los demás; nuestros variados instrumentos de autoexpresión y autodescubrimiento, en una palabra, todo, sufrirán un cambio, un cambio radical y para mejorar. Algunos de esos cambios ya nos han llegado, aunque los verdaderamente importantes no lo hayan hecho todavía.

Pero, en lo relacionado con estos cambios, será la actitud adoptada por cada individuo la que determine cómo éste se verá afectado por aquéllos. Si asumimos una actitud de resistencia a estos cambios naturales, si –por así decir– nos enfrentamos a ellos en nuestra propia consciencia, si nos hacemos la idea de que ese cambio tiene que ser necesariamente malo –lo que constituye otra forma de decir que lo que nos rodea en este momento es perfecto e inmejorable–, sufriremos una sensación de conflicto, de derrota y de pérdida. Iremos por ahí diciendo "este país se va a pique"; no diremos más que tonterías sobre "aquellos buenos tiempos" (que no existieron nunca), y, de hecho, adoptaremos la actitud clásica del oscurantista y reaccionario. Nuestra alma se convertirá en aquello que alguien dijo sobre determinada universidad, "un hogar para las causas perdidas y para las fes muertas." Y todo esto significará, al menos temporalmente, derrota, fracaso y pérdida.

Si, por el contrario, conocemos la Verdad y la ponemos en práctica, daremos un gran salto hacia delante en la gran marcha de la humanidad y aprenderemos la nueva lección alegrándonos del trabajo nuevo y triunfando con sus triunfos. Si, en lugar de intentar asirnos a los restos de cosas pasadas, nos preparamos para marchar sacando pecho y, como tan bellamente se ha dicho, "vitoreando a lo desconocido", podemos estar seguros de ser leales servidores del Señor y de nuestros semejantes. La evaluación de toda la sabiduría constituye también la receta fundamental de la felicidad: "Pon tu corazón en Dios y no en las cosas, en la Causa y no en la consecuencia, en el Principio y no en la forma." Del mismo modo en que los contornos de la costa van desapareciendo uno a uno bajo la creciente marea de la nueva vida, seguiremos avanzando valerosamente en la convicción de que lo mejor está aún por llegar y que "ni el ojo ha visto ni la oreja oído ni se han introducido en el corazón del hombre las cosas que Dios tiene preparadas para aquellos que Le aman" y Le han puesto en primer lugar.

Cada una de estas Eras o maneras de conocer a Dios cuenta con una cualidad o característica dominante y propia que la diferencia de las otras once. Al igual que todo país posee una cualidad indefinible común a todos sus habitantes –por mucho que éstos puedan diferenciarse entre sí en otras cosas– que les hace distintos a otros grupos de gentes; y que cada una de las grandes religiones cuenta con sus propios y especiales carácteres y ambientes que nacen de diferentes aspectos de la Verdad Universal sobre los que hace hincapié, también cada Era tiene su característica específica que proviene de los aspectos particulares de la Verdad de que se ocupa. La calidad que hace diferente a la Nueva Era de Acuario –tan diferente en todos aspectos de su antecesora, la de Piscis– ha sido denominada, por comodidad, "Urano", y, de forma general, todas las actividades y expresiones de la Era de Acuario serán uranianas. Pongamos atención en este interesante hecho porque nos proporciona una amplia idea del tipo de cosas que podemos esperar. Se suele decir de Urano que es un desbaratador o destructor, pero tenemos que recordar que ello no implica necesariamente, como demasiado a menudo se supone, auténtica destrucción. Está bien que lo menos bueno sea destruido si este hecho implica que se concede a lo bueno la oportunidad de ocupar su puesto. Quienes comprenden la Verdad del Ser saben muy bien que aquello a lo que llamamos muerte y destrucción no es, en general, más que el preludio de algo más hermoso y bello. ¿Qué es la muerte del lunes sino el nacimiento del martes; la muerte del año viejo, sino el nacimiento del nuevo; el derribo de un antiguo edificio, sino la construcción de uno nuevo y mejor, y así sucesivamente? Por ello, la Nueva Era, aunque, al principio, pueda parecer destructora, lo será, de hecho, sólo con las ideas que, aunque buenas y necesarias en su momento, han quedado rebasadas por la humanidad y sólo representarían un obstáculo si permaneciesen.

122

Tened en cuenta el estado mental del pollo en el momento en que ya está completamente formado y listo para vivir libre e independiente, pero justo unos momentos antes de romper el cascarón. ¡Qué deliciosamente cómodo se siente en su interior! ¡Qué caliente, confortable y seguro! ¡Qué terrible debe parecer a un pollito nervioso la idea de ser arrojado a un mundo enorme, frío, desconocido y aparentemente infinito! Sin embargo, como ya ha madurado y se encuentra preparado para la gran aventura, la cálida cáscara que tan cómoda y protectora le ha sido hasta ese momento, si él pretendiese quedarse en ella, llegaría a aplastarle y a destruirle. Él ya ha superado esa fase y tiene que salir, esté o no de acuerdo. Por el contrario, un pollo valiente, uno que tenga fe en la bondad básica de la vida y en la innata amabilidad de las cosas saldrá del cascarón dispuesto a comerse el mundo. Aquí es donde llega Urano, por supuesto como un destructor, pero como un destructor de prisiones y como libertador del alma cautiva.

La humanidad se encuentra ahora en una posición muy parecida a la del pollo que ha superado el tamaño de su antiguo medio y debe pisar algo que le es nuevo, extraño y grande.

También se dice de Urano que constituye el símbolo de la democracia y de la libertad. Otras veces, es mencionado como representativo de la autocracia. Esta aparente contradicción ha hecho que muchos se sientan desconcertados, pero la verdad es que Urano no representa ni a la democracia ni a la autocracia, sino a la *individualidad*. Sin embargo, la verdadera expresión de la individualidad debe estar representada por la democracia, en el sentido en que todo ser humano tenga las mismas oportunidades de expresarse a sí mismo que el propio Dios le confirió, y, por otra parte, al ser el dueño de su propio destino y el capitán de su propia alma, convertirse en el autócrata de su propia vida, debiendo responder sólo a Dios y encontrar su desarrollo libre de cualquier tipo de interferencia tiránica exterior. Éste es Urano.

De hecho, ya nos encontramos en la Era de Acuario desde hace unos cuantos años, aunque sea sólo en la actualidad cuando empecemos a sentir todos los efectos del cambio. La naturaleza no sabe nada de repentinas transiciones a trompicones. En ella, todo es paulatino, por lo que la Nueva Era se va echando lentamente encima de la consciencia de los humanos y pasa más de una generación antes de que los cambios se puedan observar con facilidad. Tenemos que recordar que, en un período de unos dos mil ciento cincuenta años, medio siglo o uno entero no significa tanto como uno podría imaginarse a primera vista. Hoy en día, el período preliminar, conocido técnicamente como "cúspide", ha terminado, y ya estamos situados en plena corriente de la vida de Acuario. Si echamos una ojeada al mundo que nos rodea, nos veremos enormemente sorprendidos por la cantidad de manifestaciones con que Acuario se manifiesta por todas partes. Por ejemplo, los nuevos inventos que han transformado al mundo desde que las personas de mediana edad eran niños hasta ahora responden –casi todos– a unas características acuario-uranias. La electricidad, en sus variadas formas, como la luz y la tracción eléctricas, el telégrafo, el teléfono y la radio, es básicamente uraniana. Cada una de las aplicaciones de la electricidad, por ejemplo, consiste en la individualización, en un determinado momento de la manifestación –bombilla, motor, timbre, micrófono, etc.– de una corriente general. Todo el que haya realizado el menor experimento con corriente eléctrica sabe que, cuando no se maneja adecuadamente, es terriblemente repentina y violenta en sus

124

reacciones: un auténtico agente desbaratador y destructor, aunque, si se emplea de forma constructiva y con inteligencia, hace más que cualquier otra cosa material para liberar al ser humano de las trabas de los trabajos pesados y de las limitaciones físicas. El teléfono hace que las distancias desaparezcan y constituye la primera demostración parcial del hombre sobre la limitación del espacio. La luz eléctrica tanto en el interior como en el exterior de las casas ha sido el dedo de Dios promocionando la educación, limpieza, sanidad y todas esas otras cosas buenas que se marchitan en la oscuridad y florecen a la luz. Cuando se conceda la oportunidad que merece a la tracción eléctrica, servirá para vaciar los barrios bajos de nuestras ciudades y para devolver a nuestras gentes a los campos de Dios. La radio está rompiendo con gran rapidez las barreras artificiales que antes separaban a unos hombres de otros. En todas las naciones está destrozando a diestro y siniestro los prejuicios sociales mediante el empleo de una norma correcta de hablar común a todas las clases, siendo este cambio ya claramente visible. Desde un punto de vista internacional, la radio se ríe de las fronteras y, gracias a sus esfuerzos, ya no será posible –por mucho que autoridades reaccionarias lo quieran– aislar a ningún grupo de seres humanos del acerbo común de conocimiento y progreso humanos. La Inquisición se hubiese encontrado totalmente inerme ante las emisiones radiofónicas y ante el hecho de que cada hogar contase con un receptor.

Después de la electricidad, el motor de combustión interna, bajo la forma de automóviles y aviones, ha sido con toda probabilidad lo que más haya hecho por cambiar la faz de la tierra, y es también básicamente de naturaleza acuario-urania. No hay más que considerar cuánto más funcionalmente individual es un automóvil que un tren.

La verdad es que difícilmente pueda uno obtener una expresión más completa de la diferencia entre compulsión de masas y libre individualidad que comparando la diferencia entre hacer un viaje prefijado con un horario prefijado en un tren y la exploración sin límites de la campiña yendo en coche. El avión, desde el punto de vista internacional y con toda sencillez, ha terminado con las fronteras militares. Los escritores militares continúan hablando en términos de fronteras estratégicas, aunque los estadistas sepan que, muy a su pesar, han desaparecido.

La Era de Acuario es, de hecho, la era de la libertad personal. No es mera casualidad que su llegada señale la emancipación de la mujer como sexo y que sea en esta Era cuando a los niños se les hayan concedido –por fin– derechos como individuos y ya no sean considerados solamente como simple propiedad de sus padres.

Hemos visto que lo que recibe el nombre de los Doce Signos del Zodíaco significa en realidad doce maneras diferentes de conocer a Dios. La mayoría de la gente que piensa ya ha abandonado la antigua e infantil manera de ver a Dios como a un gran tipo de hombre superior, y, a medida que vayamos adentrándonos más en la Era de Acuario, también la mayoría de los seres humanos irá abandonando esa limitación. De hecho, la Verdad es que Dios lo es Todo en Todo: Mente Infinita, Vida, Verdad y Amor. Dios es Inteligencia Infinita, Sabiduría Insondable y Belleza Inexplicable. Al repetir estas palabras, conseguimos, naturalmente, una realización inadecuada de lo que en realidad quieren significar, pero la verdadera naturaleza de Dios en su totalidad es tan inmensa, maravillosa e incapaz de ser asumida ni siquiera en sueños por nosotros que, en la práctica, llevaría a la raza humana no miles sino millones de años el alcanzar su comprensión total. Incluso el hecho de comprender que Dios es una Mente Incorpórea y un principio Perfecto nos ha llevado literalmente cientos de miles de años, y el que lo entiendan todos llevará todavía mucho tiempo. Y, cuando hayamos comprendido tan maravillosa realidad, la Verdad sobre Dios todavía se nos presentará ante nuestros ojos abierta al Infinito.

De la misma manera en que cada Era constituye una lección especial sobre Dios que la humanidad tiene que aprenderse, en cada Era se produce también un extraordinario maestro que enseña la lección que hay que aprender y que se muestra de una manera total e inconfundible. El Gran Maestro de la Raza de la Era de Aries fue Abraham, que izó el estandarte del Dios Unico y Perfecto, no hecho con las manos y Eterno en los Cielos. Al recibir su luz de la ilustración, abandonó inmediatamente la idolatría y, adelantándose a Moisés, dijo: Entérate, Oh Israel, de que el Señor tu Dios es Unico; de que no antepondrás a El ningún otro dios ni tampoco le antepondrás ningún ídolo.

La enormidad que este paso adelante debió representar en la historia de la humanidad puede ser apreciado solamente por quienes hayan realizado investigaciones sobre las civilizaciones antiguas, con su revoltijo de dioses competidores entre sí y con sus fútiles, grotescas y en ocasiones obscenas idolatrías. Una antigua tradición nos habla de que los familiares más cercanos de Abraham (tal como era él entonces) eran, de hecho, fabricantes y vendedores de ídolos, por lo que, al salir él en defensa del Dios Espiritual y Unico, se vio obligado a romper con su propia familia. Pudo muy bien ocurrir así, porque no es propio del fabricante de imágenes, si es limpio de corazón, el convertirse en iconoclasta.

Una vez que Abraham hubo iniciado la nueva Era –la de Aries o el Carnero– pasó a la historia, sufriendo su trabajo los altibajos característicos de toda actividad humana. Al llegar a este punto, hay que tener bien en cuenta que esta Era recibe el nombre simbólico de Carnero u Oveja y que, a todo lo largo de la Biblia, las ovejas se emplean para simbolizar pensamientos, siendo la lección más extraordinaria que pueda darnos la de que tenemos que vigilar nuestros pensamientos, porque todo aquello que pensemos con convicción nos ocurrirá pronto o tarde. En relación con este tema, es importante señalar cuántos de entre los grandes santos y héroes de la Biblia fueron en algún momento pastores. Jacob, Moisés, David, Ciro el Meda ("Su Ungido") y muchos otros de menor importancia tuvieron su aprendizaje guardando ovejas; es decir, teniendo un control adecuado de la mente. El Señor, de todos los títulos que le han sido concedidos, hubiese, con toda probabilidad, preferido del de Buen Pastor, pues ¿no fue El quien dijo "el buen pastor es el que da su vida por sus ovejas"? En todo esto vemos la influencia de la lección ariana sobre el pensamiento. En la Biblia, Egipto representa el materialismo, el pecado, la enfermedad y la muerte ("Llamé a mi hijo para que abandonase Egipto"), y se nos dice con suma claridad que los egipcios albergaban un odio y enemistad mortales hacia los pastores. Por supuesto, no hemos de tomar todo esto literalmente como una opinión sobre las gentes que habitaban entonces el valle del Nilo y que no eran ni mejores ni peores que otras, sino como una descripción simbólica del funcionamiento de las leyes naturales. Constituye un hecho interesante el que, hasta nuestros días, las sinagogas judías en las que todavía quedan restos de la Edad de Aries, aún muestren como símbolo viviente el cuerno del Carnero.

La Era que siguió a la ariana, de la que acabamos de salir hace poco y que bien podría llamarse la época del cristianismo ortodoxo, recibe el nombre de Era de Piscis o de los Peces. El gran profeta y líder de esta edad fue, como es natural, Jesucristo, de quien todos sabemos que, en los primitivos días de la cristiandad, era simbolizado entre sus seguidores por un pez, lo que contaba con la ventaja añadida de que de esta manera quienes le perseguían perdían su rastro. De hecho, la cruz, como símbolo de materia y limitación físicas, es muchísimo más antigua que el cristianismo, pero esto es sólo una disquisición. Baste decir que la Era de Piscis fue continuamente anunciada con símbolos por gentes de todo tipo, muchas de las cuales no se dieron ni cuenta de lo que hacían. La gran iglesia del medievo, por ejemplo, centraba su autoridad, para fines prácticos, en el obispo, siendo el símbolo del obispo, naturalmente, la mitra. ¿Y qué es una mitra sino la cabeza de un pez llevada como tocado? Jesús dijo "Os haré pescadores de hombres", y la verdad es que sus primeros discípulos lo fueron, al igual que los líderes del Antiguo Testamento fueron pastores.

A lo largo de toda la Biblia y a través de las antiguas tradiciones ocultas en general, el pez constituye el símbolo de la sabiduría, siendo la sabiduría en esos casos el término técnico utilizado para el conocimiento de la Totalidad de Dios y de la fuerza de la oración. Hay que darse cuenta de que el pez vive en las profundidades de las aguas –alma humana–, de las que ha de ser digamos que pescado. Además es silencioso y no reivindicativo. Ha de ser buscado con paciencia y amabilidad, no con violencia, como si fuese un lobo.

La Era de Acuario es la del Hombre con el Cántaro ("Busca un hombre con un cántaro"), y ¿quién es el hombre del cántaro de agua? Pues, naturalmente, el jardinero, con lo que el símbolo interpretativo de la Nueva Era tendrá que ser el Jardinero. El hombre, especializado ya como Pastor y Pescador, se convierte en Jardinero, y la verdad es que este nuevo título expresa delicadamente el tipo de trabajo que ha de realizar en su nuevo papel. Hemos alcanzado la etapa en que, habiendo sido ya aprendida la lección de la necesidad de pensar y habiéndose establecido contacto y apreciado la *Santa Sofía* o Santa Sabiduría, lo que nos queda es unir mentalmente las dos cosas en nuestra práctica diaria.

La ciencia moderna está avanzando de manera sorprendente en el campo de la psicología, por lo que es claro que esta ciencia podría recibir el nombre de "criada de la metafísica" y que no consiste sino en insistir más y más en el hecho de que las mentes consciente y subconsciente son casi perfectamente comparables a la relación existente entre jardinero y jardín. El jardinero planta sus semillas en la tierra que él mismo ha preparado; riega esta tierra y, en la medida de lo posible, elige un lugar en el que brille el sol, pero no hace nada para que las semillas crezcan. Eso deja que lo haga la Naturaleza. De la misma forma, en el tratamiento espiritual u Oración Científica, pronunciamos la Palabra, aunque dejamos que sea la Fuerza Divina quien realice la demostración. "Yo he plantado, Apolo ha regado, pero ha sido Dios quien hizo crecer." La nota dominante en la Nueva Era será la del Desarrollo y demostración Espirituales.

Al llegar a este punto, la pregunta sale naturalmente por sí misma: ¿Quién es o quién va a ser el gran maestro o profeta de la nueva Era de Acuario? Pues, bueno; no da la impresión de que falten candidatos para el puesto. Hay por todo el mundo muchas personas que reclaman para sí tan elevada posición o, si no son ellos mismos, sí lo hacen sus seguidores. No perderemos ni un segundo con este tema. ¿No nos avisó el propio Maestro de que surgirían falsos Cristos que engañarían, si posible les fuese, hasta a los propios elegidos?

Lo realmente maravilloso es que hoy, tras miles y miles de años luchando por subir, hemos, por fin, alcanzado el momento en que la humanidad se encuentra preparada para funcionar sin profetas individuales de ningún tipo y para ponerse en contacto por sus propios medios y sin intermediarios con el Dios Vivo. Jamás hasta ahora le ha sido posible esto a la mayoría de la gente. Siempre tuvieron que contar con algún símbolo concreto. Al principio, un ídolo burdo y palpable, como el denunciado por Abraham y Moisés y, posteriormente, por Mahoma. Más tarde, con esta etapa a las espaldas, todavía pedían un hombre al que adorar o un libro o algo tangible y concreto a que agarrarse mentalmente. Sin embargo, ahora y debido principalmente al trabajo realizado por Jesucristo en la mentalidad de la raza hace mil novecientos años, se ha hecho posible que todos los hombres y mujeres que lo deseen se adhieran a la idea de la Verdad del Cristo Impersonal y a la verdad de que su propio Cristo Morador en ellos –la Luz Interior de los cuáqueros– está siempre ahí para inspirarles, sanarles, fortificarles, reconfortarles e iluminarles. Jesús dijo "a no ser que yo me vaya, el Espíritu Santo no podrá venir", indicando así que, mientras Él permaneciese con ellos, éstos se agarrarían a su personalidad en lugar de encontrar por sí mismos al Dios Infinito e Incorpóreo. Esto es en gran medida lo que las iglesias ortodoxas han venido haciendo desde siempre.

Así que tenemos que el Gran Maestro Mundial de la nueva era no va a ser ningún hombre ni mujer ni libro ni organización, sino el Cristo Morador, al que cada persona debe encontrar por sí misma y ponerse en contacto con Él. Hay una prueba muy sencilla mediante la que cualquiera puede distinguir a un verdadero maestro de uno falso. Es la siguiente: si te señala su propia personalidad; si alberga pretensiones especiales para sí mismo; si dice que Dios le ha concedido privilegios que no son accesibles de la misma manera al resto de la humanidad venga ésta de donde venga; si intenta, en su propio nombre o en el de cualquier organización, establecer bajo cualquier pretexto un monopolio de la verdad sobre Dios, entonces, por muy impresionantes que sean sus credenciales, por muy agradable que sea su personalidad, es un maestro falso y mejor será que no tengas nada que ver con él. Si, por el contrario, te dice que no le contemples, que busques la Presencia de Dios en tu propio corazón y que utilices libros, conferencias e iglesias sólo como medio para ese fin, entonces, por muy humildes que sean sus esfuerzos, por muy pobre que su demostración pueda parecer, es, a pesar de los pesares, un auténtico maestro y te está haciendo entrega del Pan de la Vida.

A la humanidad le va a tomar unos veintiséis mil años el recorrer esta asignatura de doce lecciones sobre Dios a la que llamamos Zodíaco. Es verdad también que ya hemos pasado por esta asignatura muchas veces –recordad que la raza es muchísimo más antigua que lo que la mayoría de la gente cree– y que tendremos que pasar por ella muchas otras más, pero cada vez que lo hacemos es con un nivel mucho más elevado, acumulando una diferente *calidad* de conocimiento, porque no se trata de un círculo sin fin, sino de una espiral que se extiende hacia arriba.

Pero sucede que este cambio que atraviesa el mundo en el momento actual, que cubre con sensaciones los titulares de los periódicos, y con temores y recelos, los corazones de los hombres, este cambio, como decía, es mucho más importante que el simple paso de una Era o

Signo a otro, como ocurrió con el paso de Aries a Piscis, de Tauro a Aries o de Géminis a Tauro. De hecho, el cambio actual es el más importante que la raza humana ha realizado en unos cincuenta y dos mil años, lo que significa que hemos dado dos vueltas al Zodíaco desde que dimos un salto hacia adelante de la importancia del actual. Nunca desde que la masa de la humanidad se hizo capaz de utilizar la mente abstracta (la verdad es que son poquísimos los que la utilizan todavía, aunque todos podrían si lo quisiesen y fuesen preparados para ello) ha aumentado tanto su Poder. Ya es posible para cualquiera que así lo desee ponerse en contacto con el Poder Espiritual que nos rodea —el cual no es sino Dios—, siempre dispuesto a ayudarnos en el momento y en la manera en que lo necesitemos.

Todo esto significa que, mientras la raza en su conjunto marcha hacia adelante con un paso relativamente lento por la senda del desarrollo espiritual, *ya no existe razón alguna por la que cualquiera que lo desee realmente no pueda eliminar los pasos intermedios y llevar a cabo la Gran Demostración por sí mismo y sin tener en cuenta las circunstancias materiales del tiempo, Zodíaco o de cualquier otro tipo.* Las cualidades que necesitará para alcanzar su objetivo son la prosecución perseverante de la Verdad y la práctica incondicional de lo más elevado que conozca en ese momento.

Ya nos hemos dado cuenta de que el Zodíaco es en realidad uno de los más importantes símbolos cósmicos —tal vez, el más importante—, un diagrama del despliegue del alma humana y no el simple hecho físico de la Precesión de los Equinoccios. No sólo una especie de tren circular para predecir la suerte, sino uno de los más profundos misterios del alma.

La pregunta de *cuándo* se producirán los grandes cambios a que aquí nos venimos refiriendo es, como está mandado, una que no admite una contestación exacta. Sin embargo, podría decirse con toda confianza que lo que se presente ante nuestros ojos como las agitaciones más revolucionarias y trascendentales en las circunstancias de la vida humana habrá concluido totalmente dentro de unos veinte o veinticinco mil años, que algunos importantísimos y sorprendentes cambios están comenzando a producirse ya y que tal vez se hagan asombrosamente aparentes dentro de unos pocos años.

No hay duda de que es poco probable que ninguno de estos cambios se lleve a cabo, como ya hemos visto, sin una cierta perturbación y caos pasajero. Pero sabemos que el Hombre, como raza, resurgirá triunfante, purificado, fortalecido y emancipado. Sin embargo, ¿qué ocurrirá con el individuo? Es posible que haya algunos que no lo pasen bien en determinados casos, pero tu sino personal dependerá de una sola y única cosa: la condición en que mantengas tu conciencia. Si mantienes una actitud de paz mental y de buena voluntad hacia todo; si en verdad arrancas de tu corazón cada átomo de hostilidad y de condena hacia tu prójimo, sin tener en cuenta quién sea éste, te encontrarás a salvo. Como Jesús prometió: "Nada te hará daño en ninguna de las maneras." Atravesarás el más abrasador de los fuegos impávido e ileso. Sin embargo, si te permites ser arrastrado, aunque sólo sea por consentimiento mental, por cualquier corriente de odio contra cualquier persona, nación, raza, clase, secta religiosa o grupo de personas, por nimio que sea el pretexto, habrás renunciado a tu protección y tendrás que asumir las consecuencias. Si te dejas llevar por cualquier campaña de odio política, religiosa o periodística, por muy fariseamente que pueda camuflarse, te estarás ofreciendo a cualquiera de las tendencias destructivas que se produzcan. Eres tú quien tiene que elegir, en el conocimiento de que igual que hagas se te hará a ti.

Como es natural, la única protección real contra cualquier clase de peligro se encuentra en el conocimiento de la Oración Científica o Práctica de la Presencia de Dios, por lo que todos los que comprendemos esta Verdad y la manera de ponerla en práctica tenemos el sagrado deber y responsabilidad de hacer todo lo que nos sea posible para extender ese conocimiento ya con la mayor amplitud y rapidez posibles.

Los *siete aspectos*
principales de Dios

¿Te has hecho alguna vez la pregunta de cómo es Dios? Nos enseñaron a rezar volviendo la espalda al problema y concentrándonos en Dios, pero ¿cómo vamos a pensar en Dios? ¿Cuál es Su naturaleza? ¿Cómo es Su carácter? ¿Dónde está? ¿Podemos, de verdad, ponernos en contacto con Él? Y, si podemos, ¿cómo?

Lo primero y más importante de lo que tenemos que darnos cuenta es de que Dios no es ningún tipo de hombre superior. La mayoría dirá: "Pues claro que no", pero mi experiencia me demuestra que incluso hoy en día la mayoría de la gente cree, en el fondo de sus corazones, que Dios es nada más que un hombre ampliado –eso y sólo eso–, un hombre buenísimo, un hombre sapientísimo, un hombre de poder infinito, pero un hombre. Lo que sucede es que esta idea no es sino una proyección de sus propias personalidades, y sólo necesitamos pensar un poquito para darnos cuenta de que eso no puede ser verdad. Esa idea recibe en filosofía el nombre de Dios antropomórfico (de *anthropos*: hombre, y *morphe*: forma. Mirad el *Espasa*), y una persona tan finita sería imposible que hubiese creado el ilimitado universo que podemos contemplar a través de nuestros telescopios o la infinita variedad de minúsculas formas con las que establecemos contacto a través del microscopio, sin decir nada de la creación infinita que todavía desconocemos.

Es normal que alguien un poco atolondrado crea que Dios no es sino una edición mayor de sí mismo, de la misma manera en que podríamos suponer que, si un insecto pudiese pensar en Dios, lo haría viéndole como un inmenso insecto de fuerza ilimitada. Sin embargo, nosotros somos seres que poseemos las facultades gemelas de pensar y de intuir y, por ello, debemos buscar la verdad más allá de esta concepción infantil.

Dios es infinito, lo que quiere decir que carece de límites y que no se acaba. Concéntrate en esto cada día de tu vida, y tu vida entera no será suficiente para que llegues a entender todo su significado. Por ejemplo, no podrías entrar en un cuarto o en un edificio para encontrar a Dios, porque, si Dios pudiese encontrarse en una habitación, ya no sería infinito. Lo que suele ocurrir es que, cuando somos todavía muy, muy jóvenes –niños pequeños–, nos hacemos ideas –infantiles, por supuesto– sobre todo tipo de cosas. Nos creemos que una casa de tres pisos es un rascacielos. Pensamos que la carretera a cuyo borde vivimos es tan ancha que cruzarla constituiría todo un viaje. Creemos que nuestros padres lo saben todo y pueden hacerlo todo. Durante ese período, pensamos en Dios como si fuese nuestro abuelo o, tal vez, como el sacerdote de la parroquia. Pero vamos creciendo y, a medida en que va llegando la madurez, comenzamos a revisar poco a poco las ideas que teníamos sobre todas esas cosas excepto una. Revisamos nuestras ideas sobre la familia, nuestra ciudad, nuestro país; sobre los negocios y el deporte, la política, pero, en la mayoría de los casos, la gente nunca se detiene a revisar su primitiva idea de Dios y continúa sus años de madurez intentando ir tirando con una idea de Dios formada durante la infancia, con lo que el resultado, como es natural, es muy limitado. Es como si una persona mayor intentase ponerse los zapatos de un niño. No podría andar.

Una de las dificultades prácticas con que nos encontramos al hablar de Dios es que carecemos de un pronombre adecuado que utilizar. Tenemos que usar la palabra "Él" o "Le". No tenemos otra alternativa. Lo que sucede es que esta palabra es muy engañosa porque sugiere inevitablemente la imagen de un hombre o de un animal macho. Utilizar los pronombres "Ella" y "La" sería igual de absurdo, y "Lo" constituiría una falta de respeto, por sugerir un objeto inanimado y carente de inteligencia. Pedimos al lector que recuerde siempre que el empleo de "Él" o "Le" constituye un arreglo provisional en inevitable, por lo que deberá corregir su pensamiento conforme a ello.

La Biblia dice que Dios es espíritu[1] y que aquellos que Le rinden culto tendrán que adorarle en espíritu y en verdad. Adorarle en espíritu significa alcanzar una comprensión natural de Su naturaleza, y lo que haremos ahora será comprometernos a ello. No vamos a intentar definir a Dios, porque ello sería ponerle límites, aunque sí podamos alcanzar lo que, para fines prácticos, constituye un excelente conocimiento operativo de Dios, y lo haremos tomando en consideración uno a uno diferentes aspectos de Su naturaleza.

---

1. Juan 4:24. Versión revisada

Supongamos que quieres ver un gran edificio, como el Capitolio de Washington. Sabes perfectamente que no puedes verlo entero de una sola ojeada, aunque ello no sea óbice para que puedas llegar a conocerlo muy bien. Lo único que tienes que hacer es ir a pie alrededor del edificio y contemplarlo desde diferentes ángulos hasta que lo hayas visto por completo. Lo mirarías, por así decir, primero por el lado Norte; después, por el Este; a continuación, por el Sur, y, para terminar, por el Oeste. Así sabrías exactamente qué aspecto tendría el edificio. Lo mismo vamos a hacer con la idea de Dios.

La única forma de acercarse a Dios es pensando en Él. No existen escalones materiales que te lleven a Dios. Sólo pensando en Él podrás acercarte a Él. En Oriente, algunos tontos han intentado acercarse a Dios lisiando sus cuerpos o adoptando posturas poco naturales e incomodísimas o entrenándose a difíciles ejercicios acrobáticos, pero todo ello no es sino una pérdida de tiempo. No hay forma de encontrar a Dios más que a través de la oración, y la oración es pensar en Dios.

La oración cuenta con tres grados de intensidad. El primero y más fácil es el de rezar en voz alta, que, a menudo, recibe el nombre de tratamiento sonoro. El segundo, que, aunque ligeramente más difícil para mucha gente, es mucho más poderoso, es el de pensar sistemáticamente en Dios y reconocer Su presencia en el lugar donde esté el problema. Esto recibe el nombre de meditación, siendo un buen sistema para meditar el leer un versículo de la Biblia o un párrafo cualquiera de un libro espiritual y dejar que la mente trabaje en él. El tercer grado se alcanza cuando pensamiento y pensador forman un todo y se produce una realización vívida de la verdad. Esto recibe el nombre de contemplación, aunque a la mayoría de la gente le sea imposible alcanzarla y nadie deba intentarlo. Ya llegará de manera espontánea en el momento adecuado y no se le puede obligar a que venga antes. La mayoría de los problemas prácticos pueden ser resueltos mediante la oración sonora o la meditación.

Dios es infinito, pero nosotros, como seres humanos, aunque incapaces de captar, como es natural, el Infinito, podemos familiarizarnos con numerosos y diversos aspectos o atributos de Su naturaleza. Entre ellos, se cuentan Siete Aspectos Principales que son más importantes que cualquiera de los demás. Estos son siete verdades fundamentales sobre Dios, constituyendo todos los demás solamente combinaciones de algunos de estos siete. Estas verdades no cambian jamás. Fueron las mismas hace mil millones de años y continuarán siendo las mismas durante otros mil millones de años. Por ello, es natural que nos incumba a nosotros el alcanzar una comprensión tan clara y una realización tan fuerte como sea posibles de estos Siete Aspectos Principales. Podemos conseguirlo pensando mucho sobre ellos, comparándolos uno con otro e identificándolos con las experiencias de la vida cotidiana. Esto es oración y, además, muy poderosa. El método más rápido de resolver algún problema es meditar en cualquiera de los aspectos que más convenga para la ocasión. Pensar en *cualquier* Aspecto de Dios puede resolver un problema, aunque seleccionar el Aspecto adecuado dará resultados más rápidos y fáciles.

El PRIMER ASPECTO PRINCIPAL que voy a considerar es la Vida. Dios es Vida. Dios no es sólo vivir ni es que Dios *dé* la vida, sino que Dios es Vida. Donde esté Dios, hay Vida. Dios es tu vida. Y vida es existencia o ser.

Cuando estás enfermo, sólo estás vivo a medias. Cuando te encuentras cansado, deprimido o desanimado, sólo estás vivo a medias. Estar verdaderamente vivo significa estar bien y lleno de interés en el trabajo cotidiano. Son pocas las personas que expresan a Dios de la manera adecuada, porque carecen de sentido de la vida. Lo que suele ocurrir generalmente es que la gente crece hasta llegar a un sentido de la vida máximo –lo que llamamos la "primavera" de la vida"–, al que suele seguir un deterioro paulatino –proceso al que denominamos madurez–, y que antecede a la vejez y, por fin, a la muerte. Este proceso es común a toda la raza y no constituye, como es natural, culpa de nadie. Sin embargo, tenemos que superarlo dándonos cuenta de que se trata solamente de una creencia falsa y sabiendo (no sólo creyendo) que Dios es nuestra Vida y que Él no cambia jamás.

La alegría es una de las expresiones más elevadas de Dios en tanto que Vida. La verdad es que se trata de una mezcla de Vida y de Amor, diciendo la Biblia que "los hijos de Dios gritan de alegría." Esto quiere decir que, cuando nos damos cuenta de nuestra calidad de hijos, debemos experimentar alegría y que la tristeza no es sino la pérdida de la paternidad de Dios. La alegría y la felicidad siempre tienen un efecto expansivo, al igual que el temor lo tiene contráctil y paralizador. Sabéis perfectamente cómo, cuando un niño ve a alguien a quien quiere y en quien tiene confianza, se abre como una flor y se echa a su encuentro. Y cómo, cuando tiene miedo, se encoge sobre sí mismo. Lo mismo ocurre con el alma humana. Cuando una persona dice "puedo", notarás siempre un movimiento expansivo y hacia delante, pero cuando dice "no, no puedo", se produce una retracción. No puedes imaginarte a una persona que diga "sí, sí puedo" con un gesto de encogimiento o "no, no puedo", con un movimiento optimista y de apertura. El cuerpo expresa siempre el pensamiento, y el pensamiento de Vida sana e inspira, mientras que el de temor y muerte contrae y destruye.

142

Debes tener en cuenta el Aspecto de Dios como Vida para sanar enfermedades, la sensación de "hacerse uno viejo" y cualquier tipo de depresión o desánimo.

El darse cuenta de la Vida Divina sana a las personas enfermas y, por supuesto, también a los animales y a las plantas. Los animales suelen responder con rapidez a este tratamiento, y las plantas, mucho más, aunque uno no debiera mantener vivo a un animal viejo que hubiera traspasado el umbral de vida normal para su especie. Los animales y las plantas suelen ceder con rapidez porque carecen de ese fuerte sentido personal de egoísmo que posee la mayoría de los humanos. Nunca se intentan convencer de que no se van a poner bien o de que "no hay mal que por bien no venga" y tampoco dan señales de desánimo porque la curación tarda en producirse.

Constituye un buen experimento el de coger dos plantas o dos macizos de éstas y empezar con ambos al mismo tiempo. A uno se le trata todos los días, pero no al otro. Antes de mucho tiempo os quedaréis sorprendidos de la enorme diferencia existente en la manera en que progresan. Dáos cuenta de la presencia de la Vida Divina en la planta o en el macizo y dadle pensamientos de Amor. Empapadle de Amor. Todos sabemos que algunos jardineros tienen más éxito que otros, aunque cuenten con idénticas capacidades técnicas, y la razón de ello es que, mientras uno ama a sus plantas, el otro sólo está interesado en ellas en un sentido comercial.

Si alguien parece falto de ambición, tratadle mediante la realización de la presencia en él de la Vida Divina. Una vez me vino un hombre cuyo hijo, ya adulto, parecía carecer de suficiente ambición. Bajo mi consejo, el padre le trató mediante la realización de la Vida Divina, y, al poco tiempo, las cosas comenzaron a cambiar. El paciente perdió su apatía, comenzó a interesarse por la vida y, poco después, realizaba perfectamente su trabajo. Los médicos dijeron al padre que las glándulas del paciente funcionaban mejor, y no existe la menor duda de que el tratamiento las hizo mejorar, pero, naturalmente, ése fue sólo el canal o medio por el que actuó la oración.

Os daré cuenta de otro experimento que podéis realizar por vosotros mismos. Alguna noche, cuando estéis en un autobús o vagón de metro llenos y la mayoría de la gente parezca cansada y deseando obviamente que el día acabe de una vez, comenzad a declarar la Presencia de Dios como Vida en todos los presentes y seguid haciéndolo con todos. Os sorprenderá agradablemente lo que ocurrirá. Primero, a una persona se le iluminará el rostro y sonreirá; a otra, se la verá relajarse, y, antes de que transcurra mucho tiempo, todos los viajeros tendrán otra apariencia y se sentirán mucho mejor. No digáis que esto no es más que una estupidez fantástica. Intentadlo.

El SEGUNDO ASPECTO PRINCIPAL de Dios es la verdad. Dios es la Verdad. No es que sea verdadero, sino la Verdad misma, y doquiera exista Verdad, hay Dios. Dios es la Verdad absoluta y no cambia. Existen muchísimas cosas que son relativamente verdaderas sólo en determinados momentos y lugares, pero Dios es la Verdad absoluta en todo momento y circunstancia. En cuanto tocamos a Dios, que es lo Absoluto, las cosas relativas desaparecen.

Conocer la Verdad sobre cualquier cosa la sana. Jesús dijo "Conoced la verdad, y ésta os hará libres."[2] La Verdad es la gran sanadora.

---

2. Juan 8:32

Debéis daros cuenta de Dios como Verdad cada vez que queráis información sobre cualquier tema o si sospecháis que tenéis enfrente algo falso o engañoso. Si tenéis suficientes razones para pensar que alguien intenta engañaros, pensad en Dios como Verdad y pedid que la Virtud Divina more en esa persona y que se exprese a través de ella. Si realizáis esto con suficiente claridad, la persona os dirá la Verdad. Cuando tengáis que llevar a cabo una importante transacción comercial, tal como firmar un contrato o alquiler, pasad unos momentos realizando la verdad Divina y, si existe algo que debáis conocer, ese algo saldrá. También es verdad que puede que exista mucha gente que no intente engañaros, pero que, sin embargo, no os lo cuente todo. Conozco varios casos en que se evitaron importantes malentendidos porque alguien realizó a Dios como Verdad y todos los hechos salieron a la superficie. También sé de algunos casos en que se impidió de la misma forma una falta de honradez intencionada.

La realización de Dios como Verdad os ahorrará horas de trabajo en cualquier campo de investigación. Sin pérdida de tiempo, seréis dirigidos al libro, lugar o persona adecuados o la información que necesitéis os llegara de alguna otra manera.

El Tercer aspecto principal de Dios es el Amor. Dios es Amor. Dios no es amar, sino el propio Amor, siendo probablemente verdad si dijésemos que, para la práctica, este es el más importante de los Siete Aspectos Principales. No existe condición alguna que no pueda ser sanada por suficiente Amor[3], y donde existe buena volun-

---

3. Ver "Yoga de Amor" y "Puerta Dorada" en *Poder a Través del Pensamiento Constructivo*, págs. 160 y 275.

tad no es difícil desarrollar suficiente sentido del Amor con el fin de sanar. Toda la Biblia trata de la naturaleza de Dios y, a medida en que va desarrollándose la Escritura, la idea de Dios se va haciendo cada vez más clara hasta que, hacia el final, dice "Dios es amor, y quien mora en el amor mora en Dios, y Dios, en él"[4]. A más que esto no podemos llegar. El propio Jesús dijo "Por esto todos sabrán que sóis discípulos míos, por amaros los unos a los otros."[5]

Donde exista el temor no puede existir amor. La mejor manera de librarte del miedo es la de realizar o darte cuenta del Amor Divino. Cuando ames más a Dios que a tu problema, te verás sanado. ¿Te parece raro? Pues es verdad. Si amas a Dios más que a tu microbio, tu malestar, tu queja, tu carencia o tu temor, sanarás. Si puedes sentir la sensación de un Divino Amor Impersonal hacia todos, nadie podrá causarte daño alguno. Si alguien viniese a robarte o asesinarte, no podría llevar a cabo sus intenciones. Todos hemos oído historias de gente excepcional capaces de andar por la selva entre bestias salvajes sin sufrir ningún daño, existiendo también informaciones sobre personas que pasaron por extraordinarios peligros de otro tipo y salieron ilesas.

El Amor Divino *nunca* falla, pero lo más importante es darte cuenta de que el Amor Divino debe encontrarse en tu corazón y de que no puede funcionar desde afuera, por así decir. Si tu corazón contuviera suficiente Amor Divino para todo el mundo, podrías sanar a los demás pronunciando una sola vez la Palabra, aunque en muchos casos bastase tu mera presencia para que la sana-

---

4. Juan 4:16.
5. Juan 13:35

ción se produjese sin que tú hubieses que haber hecho ningún esfuerzo especial. Naturalmente, para alcanzar este estado, te habrías librado de toda crítica y condena. Jamás desearías ver castigado a nadie ni pensarías "se lo tiene merecido". Lo cual no quiere decir en absoluto que perdonases las malas acciones, sino que condenarías al mal, pero no a quien lo hubiese realizado. Si un niño pequeño da la lata o rompe algún objeto de valor, lamentas el hecho, pero no sientes odio hacia el niño. Por ello, al tratar con criminales u otro tipo de delincuentes, debemos tomar todas las medidas sensatas necesarias en relación, como encerrarles en cárceles humanas por su propio bien así como por el de la sociedad, pero sin odio. A un ladrón, por ejemplo, se le debe encerrar no sólo para impedir que sus víctimas sean robadas, sino por su propio bien, para impedir que su carrera criminal se siga desarrollando y culmine, tal vez, con el homicidio. Como es de suponer, su condena debería ser reformadora y no sólo punitiva.

Y de la misma manera, no debes permitir que nadie te engañe o pretenda imponerse a ti de ninguna manera. Eso equivaldría a contribuir a su egoísmo o falta de honradez. Protege tus derechos propios, aunque siempre en el espíritu del Amor Divino.

Probablemente ya conocerás la vieja historia del forastero que se avecindó en un pueblo y que pregunta a su vecino: "¿Y qué tal es la gente de por aquí?"

Su vecino –un cuáquero– le contestó tranquilamente con otra pregunta: "¿Cómo era la gente del lugar de donde vienes?"

El recién llegado replicó: "En el sitio de donde vengo, la gente era mala y poco honrada."

El cuáquero contestó: "Pues me temo que te los vas a encontrar a todos aquí."

Un tercero, que había oído la conversación, se unió a ella y señaló: "Me sorprende porque yo vengo del mismo sitio y encontré que eran muy amables y simpáticos."

Entonces, el cuáquero, volviéndose hacia él, le espetó: "A todos esos los encontrarás también aquí."

La realización de Dios en Amor constituye el remedio contra el miedo; el único eficaz. En los últimos tiempos, se han publicado numerosos libros sobre el miedo, aunque, al examinarlos, me he dado cuenta de que, en casi todos los casos, llegan hasta el punto de analizar el miedo diciendo lo malo que es, el daño que hace y lo importante que nos es librarnos de él, pero sin ofrecer ninguna vía práctica para hacerlo. La verdad es que, para el miedo, sólo hay un remedio, y éste es llegar a la sensación del Amor Divino pensando sobre él, analizándolo, llamándolo y poniéndolo en práctica con todos los seres humanos sin excepción.

Si tus oraciones no obtienen respuesta, algo debe ir mal. El universo está regido por leyes y no existe ninguna ley que se haya roto. Ni el mismo Jesús quebrantó la Ley del Ser mientras realizaba sus milagros. Ni podía ni lo hubiese querido. Cuando oraba, cumplía la ley. Si tus oraciones no reciben respuesta es que no has cumplimentado todas las condiciones de la ley, lo que, en el noventa y nueve por ciento de las veces, se debe a que algo te falta en ese sentido del amor hacia todos. Constituye una ley cósmica que el Amor sana y que el miedo y la condena dañan y destruyen. Haz todos los días el tratamiento del Amor[6], vigila tus pensamientos, *ten cuidado con tu lengua* y vigila tus actos, para que nada contrario al Amor halle su lugar en ellos.

_____

6. Ver "Amor Divino" en "*Poder a Través del Pensamiento Constructivo*", Pág. 227

148

La Oración Científica consiste en ver a Dios en el sitio en que se presentan los problemas. Cuando parezca que alguien se porta mal, ve en él la Presencia de Dios. Cuando parte del cuerpo esté enferma o sufra, ve en ella la Presencia de Dios. Donde parezca que hay carencia, ve la Presencia de Dios y llama al Amor Divino y, cuando llegues a *sentir* la sensación del Amor Divino, se habrá llevado a cabo tu demostración y ocurrirá lo que necesites que ocurra. No necesita ser una experiencia emocionante; puede consistir solamente en una física. La fuerte convicción de la Verdad, unida a la sensación de Amor Divino, es lo que logrará demostraciones en todos los casos. Uno tiene la convicción de que dos y dos son cuatro, de que Chicago está en Illinois y de que la Estatua de la Libertad se encuentra en Nueva York. Estas cosas no se discuten; se sabe que son verdad. Ten, pues, la misma firme y tranquila convicción sobre tus afirmaciones de la Verdad y ten por seguro que te demostrarás. A veces, llegas a sentir una hermosa sensación de paz relacionada con el problema –la paloma se posa–, pero no es necesario que se produzca para que la demostración tenga lugar. Si la paloma se posa, no insistas.

No hables sobre tus oraciones. Mantén tus asuntos espirituales para ti mismo. No vayas diciendo a la gente que estás rezando por esto o aquello ni de esta o aquella manera. Los asuntos de tu alma deben ser secretos. Cuando consigas una demostración, no vayas diciéndoselo inmediatamente a todo el mundo. Guárdatela para ti hasta que haya cristalizado, por así decir. Cuando Jesús sanaba a la gente, le decía "vete y no se lo digas a nadie."

Al ser Dios Amor, nunca castiga ni amenaza a nadie. El acto de Dios se produce sólo para sanar, reconfortar e inspirar. Cuanto más nos acerquemos, más felices, tranquilos y sanos nos sentiremos. De hecho, la inquietud y la enfermedad son en realidad la forma en que nos damos cuenta de que hemos perdido el sentido de la Presencia de Dios. Cuando cometemos errores o hacemos algo malo, el castigo que nos infligimos a nosotros mismos es consecuencia natural de la ley que hemos quebrantado, y seguiremos sufriendo hasta que cesemos de quebrantarla. Es un arreglo sensato y piadoso porque constituye la única manera en que podamos aprender. Si tocas una estufa al rojo vivo, te quemarás la mano. Y es bueno, porque, si no fuese así, cualquier día podrías poner la mano en el fuego y abrasarla por completo antes de que te dieses cuenta. Dios es Amor, y Dios es la única fuerza.

El CUARTO ASPECTO PRINCIPAL de Dios es la Inteligencia. No es que Dios sea sencillamente inteligente, sino que es la propia Inteligencia. Cuando te des cuenta claramente de que éste es un mundo inteligente, se hará una importante diferencia en tu vida. Es obvio que, en un universo inteligente, no puede producirse falta de armonía por tener todas las ideas que trabajar al unísono por el bien común, lo que significa que no puede darse choque o yuxtaposición en ningún sitio, ni tampoco carencia. Una máquina diseñada con inteligencia no cuenta con ninguna pieza innecesaria ni carece de ninguna esencial. La máquina es correcta, completa y perfecta, del mismo modo que lo es el universo una vez que lo hemos comprendido.

Es especialmente importante la realización de que Dios es Inteligencia por la razón siguiente: ocurre algunas veces que, una vez que las personas han superado la creencia infantil de que Dios es un hombre ampliado, suelen incurrir en el error contrario y creen que Dios es sencillamente una fuerza ciega, como pudieran serlo la gravedad o la electricidad. Lo que ocurre es que, en ese caso, la gente ha perdido todo sentido del Amor y de la Paternidad de Dios, idea ligeramente mejor que una sutil forma de ateísmo, porque esta postura no se separa mucho de la del materialista que, por lo general, es un gran creedor en las leyes de la Naturaleza.

En un universo inteligente, no puede producirse crueldad ni desperdicio, ya que estas dos cosas son síntomas infalibles de falta de inteligencia en quienes las padecen. Ya sabemos que la falta de armonía y cualquier tipo de estupidez no son sino ilusiones de la mente carnal que, de hecho, empiezan a disiparse ante la realización de Dios como Inteligencia.

¿Es Dios una persona? No, Dios no es ninguna persona en el sentido más corriente de la palabra. *Dios posee todas las cualidades de la personalidad, excepto su limitación.* Constituye una verdad que la mente humana no puede imaginarse personalidad alguna que no sea limitada, aunque esta dificultad proceda de las propias limitaciones de la misma mente humana, y, como es natural, ello no afecta a la naturaleza de Dios. La Biblia dice, en efecto, que "lo que tú creas que soy es lo que para ti seré", lo que quiere decir que, si atribuimos a Dios todas y cada una de las cualidades de una personalidad infinita, inteligente, amable e infinitamente poderosa, será eso lo que sea para nosotros. Por ello, podemos decir que creemos en un Dios persona, pero no en un Dios antropomórfico. El verdadero Dios no carece de nada de lo que pudiera tener un Dios antropomórfico, pero es, además, mucho más.

Al ir haciéndonos con estas mejores y más amplias ideas sobre Dios, no debes tener la sensación de que, por así decir, has abandonado al Dios de tu infancia por otro nuevo, de la misma manera en que uno abandona un partido político para afiliarse a otro, sino que te estás haciendo con la idea mejor y más adecuada del mismo Dios a quien siempre amaste, porque, naturalmente, sólo hay un Dios.

Deberías realizar el tratamiento de la Inteligencia por lo menos dos veces a la semana pensando en ella y pidiéndola para ti. Esta costumbre hará que todas las actividades de tu vida sean más eficaces. Seguro que existen cosas que podrías hacer mejor que como las haces en el momento actual, y este tratamiento hará que te des cuenta de esas cosas. Si pierdes tu tiempo en algún sentido, este tratamiento hará este hecho más notorio, y verás una mejor manera de realizar tu trabajo. Hay personas a quienes les molesta que se les diga que se den el tratamiento de la Inteligencia a sí mismas, y consideran que ese consejo es como una indirecta hacia sus mentalidades, pero, cuanto más inteligente es una persona, más cuenta se da de cuánta más inteligencia necesita.

Cuando te parezca que en tu vida las cosas van mal, date el tratamiento de Inteligencia. Si tus negocios u otros asuntos dan la impresión de haber llegado a un punto muerto, date un tratamiento de Inteligencia. Cuando te parezca estar dándote de golpes contra un muro de piedra y no aparezca salida alguna, date un tratamiento de Inteligencia. Si tienes que tratar con alguien que parezca estúpido o alocado, date cuenta de que la Divina Inteligencia trabaja en él por ser hijo de Dios, y que, si consigues un suficiente grado de realización, tendrá un cambio a mejor. Sin embargo, es posible que en algunos casos seas tú quien esté equivocado sin siquiera imaginártelo, y en esos casos te darás cuenta de ello y serás tú quien cambie.

Tanto los niños como los jóvenes responden con suma rapidez a un tratamiento de Inteligencia. Si estás interesado en algún niño que vaya al colegio o en algún joven universitario, dale un tratamiento de Inteligencia varias veces a la semana y te sorprenderás de cómo adelantará en sus estudios. Recuerda asimismo el hecho maravilloso de que, cuando tratas espiritualmente a alguien –incluso a ti mismo–, el resultado de dicho tratamiento permanecerá en el paciente no sólo en el momento en que lo reciba, sino durante toda su vida. Si das a Juanito un tratamiento de Inteligencia hoy, su trabajo en el colegio mejorará muchísimo, pero, cincuenta años después, cuando ya sea un hombre de sesenta años, será también más inteligente y, por lo tanto, más feliz y con más éxito a causa del tratamiento que le diste hoy.

Si eres un hombre de empresa, date a ti mismo y a tus empleados un tratamiento de Inteligencia varias veces a la semana. Hay gente que incurre en la práctica de bendecir la oficina o tienda todas las mañanas nada más llegar. Da excelentes resultados.

El Aspecto de la Inteligencia de Dios tiene una enorme importancia en su relación con la salud del cuerpo. No sería inteligente hacer un cuerpo que pudiese sufrir daños o estropearse con facilidad ni que se hiciese viejo después de setenta u ochenta años de uso, como tampoco sería inteligente conceder al hombre facultades, como la vista o el oído, que comenzasen a fallar mucho antes de que hubiese acabado con ellas. Sin embargo, la mente carnal así lo cree, con lo que los cuerpos de hombres y mujeres experimentan un deterioro que recibe el nombre de ancianidad. Sus oídos, ojos y dientes comienzan a fallarles y, en último término, les llega la muerte. Cuando la raza humana se de cuenta con toda claridad de que Dios es Inteligencia, esa "creencia en hacerse viejo" será vencida.

Sabemos que la oración consiste en pensar en Dios, pero, para pensar en El, tenéis que poseer un cierto conocimiento Suyo, proporcionándoos éste los Aspectos Principales de que tratamos, los cuales nos capacitan para pensar en

Dios de una forma inteligente. Cuando meditamos en uno de esos aspectos, desarrollamos simultáneamente esa cualidad en nosotros mismos. Cuando pensamos que ese aspecto se encuentra en otra persona, desarrollamos en ella esa cualidad. El pensar en Dios como Amor, nos hace más amantes y nos libera de una cierta cantidad de criticismo, resentimiento y condena. El pensar en Dios como Vida mejora nuestra salud y nos da más energías, y así sucesivamente. Cuando nos sobreviene algún tipo de preocupación, intentemos realizar el Aspecto que se opondría a ella. De ese modo, realizaremos Amor para combatir el miedo o la ira; Vida, para la enfermedad; Verdad, para la mentira...

El QUINTO ASPECTO PRINCIPAL de Dios es el Alma, que debe escribirse con mayúscula inicial. No hay que confundirla con al alma que escribimos con minúscula, que es lo que la psicología moderna denomina psyche y que constituye otra forma de llamar a la mente humana, consistente en intelecto y sentimientos[7].

El Alma constituye aquel Aspecto de Dios en virtud del que El puede *individualizarse* a Sí Mismo. La palabra "individuo" significa *in*dividido o *in*diviso (ver *Espasa*). La mayoría de la gente cree que quiere decir precisamente lo contrario. Les parece que sugiere separación, pero se equivocan. Individuo quiere decir no dividido, y Dios posee el poder, por así decir, de *individualizarse* a Sí Mismo sin tener que partirse en trozos.

Dios se individualiza a Sí Mismo como hombre, por lo que tú eres en realidad una individualización de Dios. Dios puede individualizarse a Sí Mismo en un número infinito de distintos seres o unidades conscientes y, sin embargo,

7. Ver Capítulo "Los Cuatro Jinetes del Apocalipsis."

no estar separado en modo alguno. Sólo Dios puede hacer esto, porque El es espíritu. La materia no puede ser individualizada; sólo puede romperse. Por esa razón, si arrancases una página de este libro y, a continuación, la hicieses trocitos, habrías dividido la página. Lo que quedase de ella sería más pequeña, según la parte arrancada, y la página entera consistiría en la suma de todos los fragmentos. Esto es división; no individualización. El espíritu, sin embargo, sí que puede ser individualizado, consistiendo en esta potencialidad el Aspecto de Dios al que denominamos Alma.

Lo anterior será para la mayoría de la gente una idea completamente nueva (nuestra educación tradicional nos prepara solamente para entender la materia), a la que tendrás que dar muchas vueltas antes de que te sientas satisfecho de entenderla de verdad.

Así que tenemos que tu auténtico tú, el Cristo interno, el hombre espiritual, el Soy o la chispa divina –que todos esos nombres recibe– consiste en una individualización de Dios. *Tú eres la presencia de Dios en el punto en que te encuentras*. Esto no quiere decir, por supuesto, que seas un absurdo y diminuto Dios personal. Eres la individualización del Dios uno y solo[8]. El hombre puede compararse muy bien con una bombilla eléctrica. La corriente eléctrica se encuentra presente en todas las partes del circuito, pero solamente brilla o, como si dijéramos, se siente consciente de sí misma en la bombilla.

De igual manera, la Mente Divina se siente consciente de sí misma en ti, y eso es lo que tú eres. Jesús, que predicaba a la gente en un país en que crecía la vid, dijo "Yo soy la vid, y vosotros los sarmientos"[9]. Como es obvio, la

---

8. Juan 10:34.
9. Juan 15:5

vida en el sarmiento o la rama es la vida común a toda la vid expresada en ese lugar concreto, y, si un sarmiento es arrancado de la vid principal, muere. Entonces, aunque el hombre no pueda separarse realmente de Dios, puede hacerlo en su modo de pensar humano, y, cuando se produce esa forma humana de pensar en la separación, la creencia en la muerte llega en mayor o menor grado[10]. Los grados menores son los que denominamos enfermedad, depresión, desánimo y vejez. En los grados mayores, se convierte en el pensamiento mismo de la muerte, cuando perdemos por completo el cuerpo y desaparecemos de este plano dejándolo atrás. El pensamiento de la muerte es, de hecho, una descarga de miedo extremadamente aguda.

Tengo que advertir al lector que no es éste un tema que pueda dominarse con facilidad. Serán necesarios muchos repasos de lectura sobre el tema y muchas oraciones solicitando ayuda para llegar a comprenderlo en profundidad, debiendo uno mantenerse alerta para no adoptar conclusiones atropelladas.

Que te des hasta cierto punto cuenta de que eres una individualización de Dios no podría en manera alguna hacerte caer en el egoísmo o en la vanidad, sino que, por el contrario, te procuraría auténtica humildad y, al mismo tiempo, verdadera confianza en ti mismo, siendo además el único camino para vencer el miedo.

Algunos egipcios de la Antigüedad decían que el hombre era como un rayo de sol, creencia común a determinados aborígenes americanos. Se trata de una idea maravillosa que expresa la verdad de manera hermosísima. Si trabajas con regularidad la realización de esta unidad

---

10. Ver "El Buen Pastor" en *Poder a Través del Pensamiento Constructivo*, pág. 47.

con Dios, mejorarás hasta el punto de que nadie te reconozca. La gente dirá que ése no puedes ser tú, que debe tratarse de un hermano tuyo más joven y que cuánto mejor es el menor que el mayor. Por otro lado, si piensas de forma negativa sobre ti mismo, si crees que eres un miserable pecador y no paras de decírtelo, será la mejor manera de que te conviertas en uno.

El Aspecto de Dios como Alma es el que hay que realizar cuando te piden que lleves a cabo una tarea o asumas determinada responsabilidad que parece demasiado onerosa para ti. Por ejemplo, un simple administrativo de una empresa puede, de repente, ser llamado a asumir el papel de director, a lo mejor, de forma permanente, y se aterra porque no se encuentra a la altura de las circunstancias. O, un oficial recién embarcado, puede ser llamado, a causa de algún accidente, a ocupar el puesto de comandante en plena navegación. En cualquiera de los casos, el interesado debería trabajar sobre el Aspecto de Dios como Alma, dándose cuenta de que él no es sino una individualización de Dios y que, por ello, Dios obra a través de él. Si se da bien cuenta de esto, se quedará asombrado de lo bien que irán las cosas, entrando él mismo y de forma permanente en una categoría superior de trabajo.

Cuando te das cuenta de que eres uno con Dios, la tarea se transforma en "asunto *nuestro* en vez de asunto *mío*" porque tienes a Dios como socio. Como es natural, cuando te haces miembro de esta sociedad, es condición indispensable del contrato que pongas en práctica la Regla Dorada. Todos aquéllos con quienes trates deben recibir un trato justo, lo que quiere decir tratarles exactamente como tu desearías que te tratasen si vuestras posiciones se invirtiesen.

Los dedos de un gran pianista no tocan solos, por así decir. No son independientes, sino parte de él mismo y le expresan sobre las teclas sin molestarse en pensar qué nota deban dar o preguntarse si son capaces de hacerlo. Saben que se encontrarán tocando las notas adecuadas porque el maestro toca a través de ellos o mediante ellos. Dios es Dios, y, como alguien dijo muy acertadamente, "el hombre es el medio de hacer."

El SEXTO ASPECTO PRINCIPAL de Dios es el llamado Espíritu. Dios es Espíritu[11]. Sabemos que Dios es espíritu, pero ¿qué significa eso. Pues bien, Espíritu es aquello que no puede sufrir daño, destrucción, degradación, mancilla o dolor en manera alguna. El Espíritu no puede deteriorarse. No puede envejecer o fatigarse. No puede conocer pecado, condena, resentimiento ni molestia. Es lo contrario de la materia. La materia se está deteriorando siempre. Mientras estás ahí, sentado, leyendo estas páginas, el libro se va gastando. La ropa que cubre tus espaldas, también. El edificio en que te encuentras se va desgastando; tu cuerpo, también, y algún día, todas esas cosas se habrán convertido en polvo. Es verdad que, con respecto a nuestro modo de pensar, pasará mucho tiempo antes de que todo eso ocurra, pero ocurrir, ocurrirá. Hubo un tiempo en que grandes ciudades estaban llenas de impresionantes edificios, y en que monumentos espléndidos florecían en Africa y en Asia, ciudades de las que hoy en día no queda la más mínima huella por haberse unido con las arenas del desierto. Es inevitable, porque la materia siempre se está desgastando. "Crece como una flor y es cortada. Huye como una sombra, pero no continúa[12]".

---

11. Juan 4:24.
12. Job 14:2.

158

Lo anterior es algo espléndido porque quiere decir que el mundo siempre se está renovando. Es algo espléndido que las cosas viejas vayan desapareciendo para que otras nuevas, más limpias y mejores ocupen su lugar. Si la ropa no se gastase, mucha gente seguiría poniéndosela durante años y años hasta que estuviese saturada de suciedad, pero, en vez de ello, nos compramos ropa nueva a intervalos relativamente frecuentes. Si los coches no se gastasen, podríamos seguir empleando los antiguos modelos de hace treinta años. Jamás debemos aferrarnos mentalmente a objetos materiales, sino que deberíamos estar siempre listos para renovarlos y mejorarlos. El capítulo de Job citado anteriormente constituye una expresión de la limitada visión humana sobre estos asuntos, la actitud mental que constituyó la causa real de los problemas de Job.

La materia se gasta, pero no así el Espíritu, porque el Espíritu es *substancia*. Herbert Spencer define la substancia como algo no sometido a discordia o descomposición. El Diccionario *Webster* dice: "lo que yace bajo cualquier manifestación externa... auténtica e inmutable esencia de la naturaleza... a la que son inherentes las cualidades... lo constituyente de cualquier cosa existente." Todo ello es aplicable solamente a las cosas espirituales.

Tú eres Espíritu. Tu cuerpo es espiritual, pero tú eres Espíritu. El Espíritu no puede morir y no nació nunca. Tu auténtico yo nunca nació y nunca morirá. Todo el universo constituye una creación espiritual, aunque lo contemplemos de forma limitada, siendo esa forma limitada lo que conocemos por materia. Habrás visto alguna vez una ventana de vidrios estriados y sabes perfectamente que, si miras a la calle a través de esos vidrios, lo verás todo distorsionado. Tanto los viandantes como los vehículos se verán retorcidos y distorsionados en formas absurdas y antiestéticas. Sin embargo, sabes muy bien que todas esas cosas están realmente bien y que la distorsión se produce por mirarlas tú mal. Lo mismo ocurre con el daño, descomposición, pecado, enfermedad y muerte. Todo lo que llamamos "materia" surge de nuestra manera equivocada de ver las cosas. Nuestra falsa visión nos hace que nos conozcamos a nosotros mismos sólo desde un aparente nacimiento hasta una supuesta muerte; pero también esto es ilusión. Esa visión distorsionada del Espíritu es en realidad lo que nosotros conocemos como "materia". La Biblia se refiere a esta distorsión con el apelativo de mente carnal. Eucken dice que "la realidad constituye un mundo espiritual independiente y no condicionado por el mundo aparente del sentido." Esto es la substancia.

La materia, bajo un punto de vista filosófico, carece de realidad. Por supuesto, no se trata de una alucinación, pero no constituye la cosa exterior y separada que parece ser. La vida es un estado de conciencia, y el mundo que vemos que nos rodea forma parte de esa conciencia. Somos conscientes de determinados objetos y de ciertos sucesos, pero éstos no son sino experiencias mentales, aunque involuntariamente les concedamos una existencia objetiva.

A menudo los objetos materiales dan la impresión de ser muy hermosos. Tanto la belleza de la naturaleza como la del arte nos son muy conocidas, pero esa belleza es en realidad el espíritu de la Verdad que brilla a través de la materia sin proceder de ella. Cuando más fino sea el velo de la materia, más belleza vemos, y, cuanto más espeso, menos belleza vemos. En un hermoso paisaje, el velo de la materia (la limitación en nuestro pensamiento) es relativamente delgado, y en un feo suburbio, relativamente grueso, pero esa es toda la diferencia. Toda belleza, bondad y alegría son solamente la Presencia de Dios captada a través del velo de la materia.

El momento en que se ha de realizar el Aspecto de Dios como Espíritu es cuando algo dé la impresión de haber sufrido algún daño, descomposición o mancha. Su puedes realizar la presencia del espíritu donde parezca que se encuentre el problema, la condición maligna empezará a disiparse y, si tu realización es lo suficientemente clara, esa condición sanará por completo.

Cuando Jesús vio al hombre que tenía la mano seca, realizó que, en Verdad, aquella mano era espiritual, con lo que la mano sanó. Cuando la gente decía que Lázaro estaba muerto, Jesús realizó que el hombre real es Espíritu y no muere, y Lázaro volvió a la vida.

Cuando realices que cualquier cosa no es realmente materia, sino una idea espiritual vista de forma limitada, esa "cosa" cambiará para mejorar. No importa si consiste en algo vivo, como una parte de tu cuerpo, un animal o una planta o si es lo que llamamos un objeto inanimado; la ley es la misma. Los denominados objetos inanimados son, en realidad, ideas espirituales. Una silla, una mesa, tu reloj, tus zapatos, tu casa, el puente George Washington, no son sino ideas espirituales contempladas de una forma limitada (nebulosa) a la que damos el nombre de materia. *Tú* no eres una idea espiritual; lo que eres es una individualización de Dios, pero las cosas son ideas espirituales grandes o pequeñas. Un animal constituye una maravillosa agrupación de ideas de Dios en las que la Inteligencia constituye uno de los componentes principales, pero no es ninguna individualización.

Si encuentras que las dos últimas páginas son difíciles de seguir, ignóralas por el momento y estudia el resto del capítulo. Antes o después verás su contenido claramente por ti mismo. No teorices demasiado sobre el tema, pero puedes intentar unos cuantos experimentos prácticos, Cuando algo te cree problemas, afirma e intenta realizar que, en realidad, no es más que una idea espiritual y contempla los resultados. Si tu coche o cualquier tipo de mecanismo te da problemas, intenta darle tratamiento. Ya sé que esto sonará a fantasía para la gente que no esté familiarizada con la ley espiritual, y por eso te digo: No seas obstinado, pero *inténtalo*.

El SÉPTIMO ASPECTO PRINCIPAL **de Dios es el Principio**, y tal vez sea éste el menos comprendido de todos. Por lo general, la gente no suele pensar en Dios como un Principio, pero lo es. ¿Y qué quiere decir la palabra "principio"?

Bien; consideremos unos cuantos principios generalmente aceptados. "El Principio de los Vasos Comunicantes", por ejemplo. No se trata de una gota de agua en especial ni el recorrido de una gota de agua en concreto desde un lugar concreto, como la Presa Ashokan, a tu grifo de Nueva York. Se trata de un principio general que es real en todas las aguas de la tierra. No se trata de algo en particular ni de ninguna acción determinada. Se trata de un principio.

Tomemos otro modelo de principio. "El calor expande los objetos". Al ser un principio, es verdad en cualquier lugar, a cualquier hora y bajo cualquier circunstancia. Calienta un trozo de acero y aumentará de tamaño con total independencia del país en que lo hagas o de quién sea su propietario o del fin a que va a ser destinado. Este principio térmico puede contribuir a que una pieza mecánica funcione bien –si el mecanismo está bien diseñado– o a que lo destroce –si no lo está–, pero el principio es inamovible. De nuevo nos encontramos con que este otro principio tampoco consiste en una cosa o acción. Ni es el acero ni el proceso mismo de expansión, sino el hecho de que la materia se dilata cuando se somete al calor.

Consideremos otro principio. "La suma de los ángulos de un triángulo siempre es de 180 grados." No es relevante de qué tipo de triángulo se trate; mientras *sea* triángulo, el principio existe. Ni el tamaño ni al material tienen nada que ver. El área del triángulo puede ser de dos centímetros o de un millón de kilómetros cuadrados, pero el principio será siempre el mismo. El triángulo puede encontrarse dispuesto horizontalmente, verticalmente o en cualquier plano, y el principio seguirá siendo el mismo.

Estos principios, repito, eran verdad hace mil millones de años y seguirán siéndolo durante otros mil millones. Ni cambian ni pueden hacerlo, porque los principios no cambian.

Dios es el Principio de la armonía perfecta y El no cambia, con lo que la armonía perfecta constituye la naturaleza de Su creación. Las oraciones son escuchadas y reciben respuesta porque Dios es el principio, y nosotros, al orar como ha de hacerse, nos ponemos en armonía con la Ley del Ser. La Oración Científica no pretende alterar la Ley ni tampoco buscar pretextos para favorecernos. No pide a Dios que cambie las leyes de la naturaleza para nuestro interés personal y pasajero, pero nos pone, por así decir, en onda con el principio Divino, siendo entonces cuando nos encontramos con que las cosas van mejor.

Si tienes radio y quieres sintonizar el programa de la emisora WJZ, buscas WJZ en el dial. No pretendes buscarla donde se encuentra la WABC. Mientras estés sintonizando con una estación equivocada, no escucharás el programa que buscas, pero tampoco le pides a Dios que cambie los programas a tu conveniencia ni te echas a llorar ni te tiras del pelo. Cambias la sintonía tú solito hasta que sintonices con la estación deseada. Tenemos problemas y preocupaciones porque no estamos mentalmente en la misma sintonía de Dios o del Principio Divino de nuestra existencia, y el único remedio que nos queda es el de volver a sintonizar. Si Dios tuviese que hacer alguna excepción porque te encontrases ante enormes dificultades –lo que, a causa de Su naturaleza, jamás haría–, nunca sabríamos dónde estábamos. Si la ley de la gravedad no funcionase en algún momento, como, por ejemplo, los martes, o si fuese suspendida sin preaviso porque, por ejemplo, alguna persona de enorme importancia se hubiese caído del tejado, ya te puedes imaginar lo que ocurriría en el mundo. Aparte de otras cosas, todos estaríamos confundidos porque no sabríamos lo que esperar. Pero, bueno; la ley de la gravedad nunca deja de funcionar porque es un principio.

Puedes sentirte inclinado a pensar que este hecho es limitativo o incluso deprimente, aunque, muy al contrario, sea sumamente alentador, porque, puesto que el principio no cambia nunca, sabes que tendrás que ser tú quien realice la demostración siempre que puedas elevar suficientemente tu consciencia. Si elevases tu consciencia, pero, aún así, no consiguieses tu sanación o tu libertad, querría decir que el principio se había roto, pero tú ya sabes que eso no puede suceder, por lo que se trataría sólo de orar o tratar más para que así tu problema –cualesquiera que fuese– cediese.

Dios es el principio, el principio de la armonía perfecta y, por lo tanto, *la perfecta armonía es la Ley del Ser*. Debes tomar nota de que esta frase constituye, por sí misma, un tratamiento sumamente poderoso.

Este Aspecto de Dios, el Principio, puede emplearse en cualquier momento, aunque sea especialmente útil cuando te encuentras desanimado con tus oraciones y en aquellos casos en que los que se mezclan gran cantidad de malas sensaciones y prejuicios. En aquellos otros casos en que parezca que exista alguna sensación de venganza o rencor, ésta desaparecerá ante la realización de que el principio Divino es la única fuerza existente, y que no constituye falsa personalidad el pensar mal de aquello.

Estos son los Siete Principales Aspectos de Dios, a los que hemos estudiado uno a uno por separado. Sin embargo, Dios los tiene todos, y no se puede trazar con rapidez y exactitud una línea que los divida. Por ejemplo, sabemos que la rosa tiene un color –rojo–, un peso –tantos gramos–, forma y fragancia u olor. Tenemos cuatro cosas diferentes: color, peso, forma y fragancia, de las que podemos hacer comentarios por separado para ser capaces de comprender totalmente a la rosa. Sin embargo, la rosa las tiene todas simultáneamente y siempre. De la misma manera, los Siete Aspectos Principales son siempre verdad en Dios. En la práctica, puede ser mejor a veces enfrentarse a un determinado problema realizando dos o más de ellos. En caso de duda, reclama en silencio que Dios piense a través de ti. *Dios piensa mediante el hombre. Dios piensa a través de mí* constituye una de las mejores afirmaciones que puedes hacer en cualquier momento.

Cada uno de los Siete Aspectos Principales de Dios constituye una cualidad diferente, como los elementos químicos. Un elemento químico –lo sabéis muy bien– es justo él y nada más. El oxígeno es un elemento porque no hay nada en él que no sea oxígeno, y el hidrógeno es otro elemento porque solamente está hecho de hidrógeno. Por el contrario, el agua constituye un compuesto porque está compuesta por oxígeno e hidrógeno, de igual manera que, como ejemplo, existen compuestos como el acero y el ácido sulfúrico. Existen en Dios numerosos atributos, tales como la sabiduría, belleza, alegría y demás que no son sino compuestos de dos o más Aspectos Principales. La Sabiduría, por ejemplo, consiste en el equilibrio perfecto de la Inteligencia y el Amor. No es un elemento. Si tuvieses Inteligencia sin Amor, podrías, al menos por algún tiempo, haber organizado la maldad de forma inteligente, y tienes al Satanás tradicional como ejemplo de este caso. Siempre se le ha atribuido a él el ser extraordinariamente inteligente para promocionar sus propios fines. Y, del mismo modo, si tuvieses Amor sin Inteligencia, podrías caer en una locura sin límite. El niño malcriado constituye uno de los más vívidos ejemplos de este peligro. Su progenitor está lleno de Amor, pero carece de Inteligencia, con lo que malcría al niño y le convierte en una molestia no sólo para él, sino para todos los que le rodean.

La Belleza es un atributo de Dios y consiste en el equilibrio perfecto entre la Vida, la Verdad y el Amor. En cualquier auténtica obra de arte, ya sea un cuadro, ya un edificio, ya una composición musical o lo que se te ocurra, te encontrarás con que estos tres Aspectos se encuentran equilibrados. Con cierta frecuencia uno se topa con obras de arte que admira, pero a las que encuentra que algo les falta para estar completas; un cuidadoso análisis mostrará que lo que falta o no está suficientemente representado es uno de estos tres Aspectos.

En cierto sentido, puede decirse que los tres primeros Aspectos son los más fundamentales, estando representados por los tres colores primarios, a saber: amarillo, para la Vida; azul, para la Verdad, y rojo, para el Amor. No se trata de ninguna combinación arbitraria y posee una base metafísica, por lo que, si tienes interés en esta fase de la Verdad, puedes seguirla mediante un tratamiento en busca de inspiración sobre el tema.

Cuando llegas a darte cuenta de que todo el universo no es más que una red de ideas y de que, de hecho, el hombre no puede conocer nada excepción hecha de sus propios estados mentales, verás que tiene que existir todo tipo de relaciones insospechadas e interdependencias entre cosas que no parecían estar relacionadas entre sí en el mundo externo. "No puedes arrancar una flor sin que se estremezca una estrella."

Existen dos sinónimos para la palabra Dios: Mente y Causa. Ninguno de ellos constituye Aspecto alguno de Dios, pero son sinónimos de El. Cada uno de ellos tiene el mismísimo significado que la propia palabra Dios. Dios es el nombre religioso dado al Creador de todas las cosas; Mente es el nombre metafísico, y Causa, el naturo-científico de Dios. Todo lo que posea existencia real constituye una idea de la Mente Unica, siendo ésta la interpretación metafísica del universo. Podemos decir desde el punto de vista de las ciencias naturales que toda la creación no es sino el resultado o efecto de una Causa Unica (Dios) y que no existen causas secundarias, Pero una causa no puede ser conocida de manera directa, sino sólo a través de su efecto, de manera tal que el universo constituye la manifestación o efecto de la Causa o de Dios y, como Dios es bueno, esa manifestación tiene también que ser buena.

Piensa en estos Aspectos todos los días. Si eres un pensador rápido, hazlo varias veces. Si eres lento, hazlo una o dos veces. El pensar lenta o rápidamente carece de ventaja alguna; se trata sólo de algo que depende del temperamento de cada uno, y tanto uno como otro puede conseguir los mismos resultados. Pide comprender cada uno de ellos y poder expresarlo. Una manera excelente de poner esto en práctica es el empleo de la Carta Divina de Amor para cada Aspecto y cambiar la palabra "Amor" por la del Aspecto con el que estás trabajando en ese momento.

Haz que tu vida valga la pena

¿Te has fijado alguna vez en que todo lo que nos rodea constituye un reino de infinito poder que nosotros mismos podemos domeñar y utilizar a nuestra conveniencia? Esta fuerza nos rodea al igual que lo hace la atmósfera y, como la atmósfera, nos pertenece a todos, estando a disposición de todos para cualquier buen fin. Con esta Fuerza, que es el origen real de todas las cosas que existen, solamente necesitas ponerte en contacto conscientemente para que fluya a tu ser y se transforme en salud, auténtica prosperidad, inspiración o cualquier otra cosa de que puedas tener necesidad. Esta Fuerza es, por sí misma, bastante impersonal, aunque está siempre buscando la oportunidad de expresarse a través de diferentes personalidades –de ti o de mí– con sólo permitírselo.

Todos solemos permitírselo algunas veces, aunque muy raramente en la mayoría de los casos. Sin darnos la más mínima cuenta de lo que hacemos –una vez de Pascuas a Ramos–, concedemos a esa fuerza la oportunidad de "concretarse", que es cuando decimos que hemos tenido una idea brillante sin que sepamos cómo nos ha llegado; o que nos sentimos maravillosamente hoy sin saber por qué, pero que hemos rendido tres veces más que lo normal en nuestro trabajo; o que ahora toda va bien; o que qué "suerte" hemos tenido. Sin embargo, lo que ha ocurrido en realidad en todos esos casos es que, por una u otra razón, nos hemos puesto en contacto durante un ratito con la Fuerza Universal.

Sin embargo, no existe razón alguna para que no podamos aprender a ponernos en contacto con esta Fuerza en cualquier momento, cada vez que lo deseemos y no sólo ocasionalmente y como por casualidad. No existe razón alguna para que no podamos entrenarnos a permitir que trabaje para nosotros –o, por mejor decir, a través de nosotros– todos los días de la semana. No existe razón alguna para no permitir que nos procure un cuerpo sano, fuerte y bello. No hay razón alguna para no permitir que venza nuestras dificultades, anule nuestros errores –también es capaz de eso– y nos proporciones ideas nuevas y originales para nuestro trabajo o nuestro hogar. ¿Por qué, en fin, no vamos a posibilitar que esa Fuerza convierta nuestras vidas en las hermosas y alegres entidades que la providencia tenía preparado que fuesen?

En otras palabras, no existe razón alguna para que todos los hombres y mujeres no se conviertan en lo que generalmente se denominan genios. Genios en lo que sea, en ciencias naturales, en literatura, arte, música, ingeniería o negocios. No os confundáis con lo de los negocios. Los negocios necesitan de genios de la misma forma que cualquiera de las artes. Una persona que consigue ideas originales y prácticas y que levanta una gran organización mercantil, llena de éxitos, que sirve al público y da empleo a mucha gente constituye tanto una baza nacional como podría serlo cualquier otro genio en cualquier otro campo.

A lo que, por lo general, hemos estado acostumbrados a llamar genio es un hombre o mujer a quien *le sucede* que tiene esta facultad de ponerse en contacto con la "Gran Fuerza Universal". Mi opinión, sin embargo, es la de que es posible y ni siquiera difícil que cualquier persona corriente, una vez que sepa que es posible, pueda comenzar a ponerse en contacto de forma consciente con esa Fuerza y, poco a poco, irse transformando en un genio.

Siempre ha existido gente que, de una manera vaga, ha creído que lo anterior podría ser verdad en las Bellas Artes, pero yo quiero, ahora y desde aquí, recalcar el hecho de que la gran Fuerza de la Vida se encuentra también dispuesta a ayudarnos en los que solemos llamar asuntos cotidianos y prosaicos de nuestras vidas. La razón de ello es la de que, desde el punto de vista de esa Fuerza Universal, nada *es* prosaico o bello o malo mientras se encuentre relacionado con las vidas de hombres y mujeres. Emerson dijo que "el bienestar del Hombre le es caro al corazón del Ser", y es verdad. La gran Fuerza Universal está siempre dispuesta a entrar en tu vida –si la invitas– para resolver cualquier problema que a ti te parezca importante, para superar por ti la dificultad que te preocupa, aunque esa dificultad pueda parecer más bien nimia a alguien que no esté interesado en tu bienestar.

En este momento me viene a la mente el caso de una mujer que está, desde hace algún tiempo, haciendo una fortuna como diseñadora de ropa. Sus ideas son tan originales y buenas que no tiene el menor problema en vender a unos precios muy altos. Adora su trabajo y, según dice, no se cambiaría por ningún hombre o mujer del mundo. Sin embargo, hace unos pocos años, se encontró sumida en la mayor pobreza y, al parecer, sin medio alguno para hacerse cargo de sí misma ni de su madre, que dependía de ella. Comenzó entonces a reservar cierto tiempo cada día para permanecer tranquila, para distraer su atención de las cosas externas y para invitar a la Fuerza a que la dirigiese e inspirase con su guía para salir de lo que parecía un desesperanzador callejón sin salida.

Ella me contó que no le fue nada fácil durante los primeros días porque estaba tan asediada por sus acreedores que le era dificilísimo dejar de pensar en sus problemas aunque sólo fuese durante unos minutos. Sin embargo, sabía que le era absolutamente necesario hacerlo, consiguiéndolo tras unos cuantos intentos con el resultado de que lo primero que hizo fue sentir un drástico cambio en su manera de sentir. En primer lugar, desaparecieron las preocupaciones y el temor, dándose a continuación cuenta de que contaba con una sensación de fuerza y de capacidad para enfrentarse a sus problemas. Al día siguiente de ocurrir esto, mientras se encontraba pensando en algo totalmente diferente, le vino a la mente de forma repentina –como si alguien se lo hubiese arrojado al igual que una bola de nieve– el recuerdo de una determinada persona metida en negocios a quien conocía. Le satisfizo el hecho de que la inspiración procediese no de "ella misma", sino de "Ello", significando "Ello" la Gran Fuerza Universal de la inteligencia y el poder. Se fue derecha a ver a la persona en cuestión y, para su gran asombro, recibió sin más ni más una oferta que, en aquel momento, le pareció sumamente interesante. Pensó en que sabía muy poco sobre diseño de ropa, pero decidió dejar ese problema también en manos de la Fuerza Universal. Siguió poniéndose todos los días en contacto con la Fuerza de la misma manera y, día a día, a medida en que iban surgiendo las dificultades, se iban disipando. El siguiente paso fue el de comenzar a recurrir a la misma Fuerza para que le proporcionase ideas originales para su trabajo. Recordad que, para ella, todo esto no había sido más que una especie de experimento, pero, cuando las ideas originales comenzaron a fluir a su cerebro, fue el inicio de su carrera.

Hay un arquitecto –hombre de éxito, él– conocido por la originalidad y brillantez de su obra, que acostumbra a trabajar de manera muy parecida a la de la señora del caso anterior, aunque, en el suyo, se trató de un descubrimiento original. Nadie le habló de ello, sino que le llegó de repente.

Existe otro caso, el de un conocidísimo abogado, famoso por su brillantez ante los tribunales, que debe su éxito –según él mismo confiesa– casi por completo a ponerse en contacto con la Gran Fuerza y casi de la misma forma. Ha dicho que, de esa forma, no sólo tuvo ciertas "corazonadas" de vital importancia que le permitieron salvar satisfactoriamente casos de suma importancia, sino que su salud, que, por lo visto, había venido constituyendo el principal obstáculo para una carrera llena de éxitos, fue restaurada por completo bajo el influjo de poder que recibió durante sus contactos con la Gran Energía Universal. Eso es, al menos, lo que afirma él, y me figuro que él lo sabrá mejor que nadie.

Esta Fuerza, esta Energía, está ahí. Es universal, lo que quiere decir que se encuentra presente en cualquier lugar. No pertenece a nadie en concreto porque es de todos. Está esperando en todo momento a que cualquier hombre o mujer la llame para ponerla en uso con cualquier buen fin. El hecho de que la mayor parte de la gente ni sospeche de su existencia no es óbice para que esté ahí. Recordad que sólo uno o dos filósofos sospecharon de la existencia de la atmósfera o de la electricidad o de la fuerza del vapor hasta hace unas escasas generaciones, y que todo lo mencionado ha sido ya puesto al servicio del hombre y ha transformado el mundo. Las cosas maravillosas que nos han sido dadas, como el teléfono, el avión o el automóvil, podrían haber sido creadas de la misma manera hace centenares o miles de años, porque las leyes de la Naturaleza eran exactamente las mismas que ahora, con la sola diferencia de que la gente que vivía entonces no sabía que existían y tuvo que pasarse de ellas. El conocimiento de la existencia de esta Fuerza Suprema se enseña ya en nuestros días a la gente, y, antes de que transcurra mucho tiempo y a mi parecer, muchas de las dificultades y limitaciones que la gente da por supuestas actualmente serán cosas que pertenecerán al pasado.

Y ahora voy a sugerir a todos los que os hayáis sentido interesados por este capítulo que hagáis vosotros mismos un experimento. No perdáis ni un segundo en discutir si parece razonable o no. Intentadlo. Quedáos unos pocos minutos solos todos los días durante unos cuantos –si podéis hacerlo a la misma hora aproximadamente, mejor que mejor, aunque no sea necesario–, olvidad todas vuestras preocupaciones durante ese tiempo –esto *sí* que es necesario–, relajad el cuerpo e invitad en silencio a que la Gran Fuerza Universal penetre en vuestra mente y os conceda lo que más necesitéis, ya sea salud, consejo o cualquier información relacionada con algún asunto o el trabajo o incluso dinero. Lo que sea. Pero lo que no debéis hacer bajo ningún concepto es dar instrucciones a esa Fuerza porque no las aceptará y, si intentáis obligarla, no ocurrirá nada. Sed receptivos. Sed humildes. Sed amplios de espíritu. No seáis impacientes y ya veréis lo que pasa. Ocurrirá algo extraordinario.

Cómo conseguir
una demostración

Aquí tienes una manera de solucionar un problema a través de la Oración Científica o, como decimos en metafísica, de obtener una demostración.

Quédate solo y tranquilo durante unos momentos. Es muy importante. No hagas ningún esfuerzo para pensar de la forma correcta o para encontrar la idea correcta. Sólo estáte tranquilo y callado. Recuerda que la Biblia dice *Permanece callado y entérate de que soy Dios*.

Acto seguido, empieza a pensar en Dios. Recuerda algunas de las cosas que sabes de El: que es omnipresente, que es omnipotente, que te conoce y te ama y se preocupa por ti y todas esas cosas. Lee unos cuantos versículos de la Biblia o un párrafo de algún libro espiritual que te pueda ayudar.

Lo importante en esta fase es no pensar en tu problema, sino *conceder toda tu atención a Dios*. En otras palabras, no intentes resolver tu problema directamente (lo que sería hacer uso de tu fuerza de voluntas), sino interésate en pensar en la Naturaleza de Dios.

A continuación, pide la cosa que necesitas –una sanación o alguna cosa que te haga falta– y hazlo silenciosa y confiadamente porque no harás sino pedir algo a lo que tienes derecho.

Después, da gracias por el hecho que ha sido llevado a cabo, igual que si alguien te hiciera entrega de un regalo. Jesús dijo que, cuando reces, creas en que vas a conseguir lo que pidas y así lo conseguirás.

No hables con nadie del tratamiento.

Intenta no sentirte tenso ni tener prisa. *La tensión y las prisas retrasan la demostración.* Sabes que, si intentas abrir una puerta con prisas, la llave puede atascarse, mientras que si lo haces despacio, raramente ocurre. Si la llave se atasca, lo que hay que hacer es dejar de sentirse con prisas, tomar aliento y soltarlo con lentitud. El empujar fuerte con la fuerza de voluntad sólo puede contribuir a que la puerta se quede totalmente atascada. Lo mismo ocurre con el trabajo mental.

Tu fuerza estará en tu tranquilidad y tu confianza.

Mantente en la onda

La mayoría de los vuelos comerciales de nuestros días se efectúan mediante una onda de radio. Se produce una onda direccional que guía al piloto hasta su destino y, mientras aquél se mantenga en su onda, sabe que va bien, aunque no pueda ver a su alrededor por causa de la niebla o no pueda conocer sus coordenadas por algún otro medio.

En el momento en que se salga de la onda en cualquier dirección, se verá en peligro y deberá intentar inmediatamente volver a su onda lo antes posible.

Todos los que creen en la Totalidad de Dios cuentan con una onda espiritual por la que pueden navegar el viaje de la vida.

Mientras cuentes con paz espiritual y cierto sentido de la Presencia de Dios, estás en onda y, por lo tanto, a salvo, a pesar de que las cosas del exterior puedan parecer confusas o incluso muy oscuras; pero, en cuanto te salgas de la onda, te verás en peligro.

Estás fuera de la onda cada vez que estés o te sientas *enfadado, resentido, envidioso, asustado o deprimido,* por lo que, siempre que te suceda algo de esto, deberás volver inmediatamente a tu onda volviéndote tranquilamente hacia Dios, reclamando su presencia y requiriendo que Su Amor y Su Inteligencia estén contigo, y que las promesas de la Biblia sean verdad hoy también. Si lo haces así, habrás vuelto a tu onda, aunque las condiciones exteriores y tus propias sensaciones no cambien inmediatamente. Has vuelto a entrar en onda y llegarás a buen puerto sano y salvo.

Manténte en onda y nada en absoluto te hará daño.

La magia del diezmo

Se ha discutido tanto en los últimos tiempos sobre el tema del diezmo y se ha producido tanta confusión en la mente de tanta gente sobre este asunto, que parece que unas pocas aclaraciones sobre él puedan ser de utilidad en el momento actual.

El diezmo viene siendo una práctica desde toda la vida entre muchos estudiosos de la Verdad. Se ha convertido de tal manera en una costumbre normalizada de sus planificaciones que piensan de su propio dinero como si fuese el 90% de lo que constituyan sus ingresos netos habituales. Apartan de manera automática el otro 10% como perteneciente a Dios y jamás se les ocurre sisar nada de ahí. Y lo hacen de forma inteligente, es decir, por principio y por la única razón de que se han dado cuenta de que es la conducta correcta y adecuada. El resultado infalible de la costumbre es que quien la pone en práctica se ve libre siempre de dificultades económicas. Aunque puedan tener otro tipo de problemas, nunca necesitan ni les falta prosperidad material. Cumplen la ley y de manera inevitable, demuestran los resultados.

Este hecho está siendo ampliamente reconocido en nuestros días, pero lo que no se llega a entender de forma tan generalizada es el auténtico Principio Espiritual que subyace en él. Uno no para de recibir todo tipo de preguntas acerca de cómo se debe practicar el diezmo o sobre en qué tipo de circunstancias debe o no realizarse; cuál es la cantidad de dinero que debe darse, de qué forma debe calcularse; si la práctica del diezmo constituye la receta infalible para hacerse rico, etcétera, etcétera.

La verdad sobre el diezmo es que quienes reservan el 10% de sus beneficios netos al servicio de Dios –no motivados principalmente por conseguir algo, sino sencillamente porque piensan que es lo correcto– se encuentran con que su prosperidad empieza a incrementarse a saltos y trompicones hasta que el temor a la pobreza desaparece por completo, mientras que quienes entregan su diezmo porque, en el fondo, creen que es una buena inversión y en la esperanza de que se les devuelva mucho más, pueden estar seguros de llevarse un chasco y, desde su propio punto de vista, lo único que hacen es desperdiciar su dinero.

La práctica del diezmo se recomienda claramente en numerosos lugares de la Biblia, existiendo, desde tiempo inmemorial, numerosísimos creyentes en el Dios verdadero que han hecho de esta costumbre la piedra angular de sus vida, sobre la que han construido un edificio de prosperidad que les asegura esa libertad de necesidades materiales que tan esencial es para el desarrollo del alma.

Traed todos los diezmos al almacén para que haya carne en mi casa y probadme aquí y ahora mismo si no os abriré la ventana de los cielos y derramaré sobre vosotros tales bendiciones que no habrá espacio suficiente para recibirlas. Dijo el Señor a sus invitados (Malaquías 3:10).

Es de todos sabido que muchos de los hombres de negocios con más éxito de nuestros días, como grandes industriales o Capitanes de la Industria, como suele llamárseles, atribuyen –con razón– su éxito a haberse formado ese hábito durante su juventud y haberlo mantenido hasta ahora. Millares de estudiosos de la Verdad, desde hace muchísimo tiempo, han pasado de lo que parecía una pobreza sin esperanzas a la seguridad y comodidad mediante la práctica del diezmo, y muchos millares más la llevan a cabo en el momento actual.

"Y todos los diezmos de la tierra, sean en semillas o en la propia tierra o en los frutos de los árboles, son del Señor, quien los contempla como sagrados" (Levítico 27:30).

"Honra al señor con lo que produzcas y con los primeros frutos de tu cosecha. Así, tus silos se verán llenos de grano, y en tus lagares rezumará el nuevo vino" (Proverbios 3:9, 10).

Jacob, después de la visión que le decía que había una escala mística que iba desde la tierra al cielo –la escala de la Oración Científica y de la buena conducta– decidió en aquel mismo momento adoptar la práctica del diezmo al darse cuenta de que:

"Dios estará conmigo y me mantendrá en mi camino y me dará pan para comer y vestimenta con la que cubrir mi cuerpo hasta que vuelva en paz a la casa de mi padre."

El secreto de demostrar la prosperidad de forma espiritual –sobre ninguna otra base te asegurarás tu prosperidad– es comprender –es decir, saber hasta el punto de la realización– que Dios es la única fuente segura de tu abastecimiento y que tu negocio o empleo, tus inversiones y tus clientes, no son sino los canales a través de los que Dios te está haciendo llegar en ese momento Sus provisiones. Pero la práctica de entregar el diezmo por la razón correcta, es decir, la espiritual, constituye en realidad la prueba concreta de que has aceptado esa postura, con la consecuencia invariable de que aceptar equivale a prosperidad. Ahora ya nos es bastante fácil ver la diferencia entre esto –la práctica espiritual– y la material e inútil de reservar una décima parte, con frecuencia malhumoradamente, en la esperanza de haber hecho una buena inversión. Como expresión de lo que se siente como justicia espiritual, el diezmo constituye un éxito infalible; como inversión egoísta, está condenado al fracaso.

Una vez aceptado el principio de entregar el diezmo, surge la pregunta de qué es lo que se debe hacer con él. Tal como lo entiende la Ciencia Divina, el diezmo no incluye caridad generalizada ni dádivas materiales. El diezmo está dedicado a la propagación por otras tierras del conocimiento de la Verdad de una u otra forma y, por lo general, apoyando a aquellas instituciones o actividades empleadas con ese fin. Cualquiera que conozca la Idea Espiritual sabe que lo único que necesita el mundo para verse libre de sus problemas es el conocimiento de la Verdad espiritual; que, hasta que un hombre no llegue e este conocimiento, nada habrá que pueda beneficiarle en realidad; que, hasta que este conocimiento se generalice, ninguna cantidad de conocimientos laicos, de descubrimientos científicos, de planes de reforma social, de reconstrucción política, servirán de nada, y que, una vez que este conocimiento se generalice, todos los problemas políticos y sociales se arreglarán de forma automática y todas las formas de caridad y patrocinio se harán innecesarias. Somos sabedores de que, en virtud de poseer el conocimiento de la Verdad del Ser, somos nada menos que sus depositarios para la humanidad. Quienes carezcan de este conocimiento continuarán haciendo donación de su dinero para la promoción de buenas obras en general, pero nosotros ya sabemos que nuestro primer deber es el de la propagación de la Verdad.

"Conocerás la Verdad, y la Verdad te hará libre."

La manera de fijar la cantidad que corresponde al diezmo es muy sencilla. No consiste, como algún estudioso suponía, en la décima parte de lo que él creía poder ahorrar de sus entradas todos los meses. Se trata de una décima parte de todos los ingresos. Es natural que un comerciante deduzca los gastos de su negocio antes de llegar a sus beneficios netos, pero es sobre el total del beneficio neto –y antes de deducir cualquier gasto personal o vital– sobre el que deberá calcular su diezmo. Quienes trabajan con un sueldo reciben directamente sus ingresos netos completos, aunque, como es natural, deberían añadir a ellos cualquier dividendo que puedan obtener por inversiones y otras cosas.

No hay ni que decir que nadie tiene obligación de pagar diezmo alguno hasta haber alcanzado el estado de conciencia en que prefiera hacerlo así. De hecho, es mejor que no lo haga hasta que esté preparado. Dar con desgana o con recelos por un supuesto sentido del deber no es sino dar por temor, y la prosperidad jamás llega a través del miedo.

Por otra parte, el pago del diezmo constituye un acto de Fe sumamente eficaz. Con frecuencia sucede que un estudioso de la Ciencia Divina desee de todo corazón depositar su confianza realmente en Dios, poseer la fe científica, y el hecho de desearla con tanta intensidad es como si se tuviese ya. Sin embargo, al principio, no puede siempre conseguir una sensación de convicción equilibrada y, al no poder, podría pensar que le faltaba fe cuando, en realidad, no es así. Sin embargo, si practica el diezmo como resultado de una convicción honrada de que es lo que se debe hacer, esa convicción constituirá la prueba de su fe, con independencia de lo que sus sentimientos puedan decirle en ese momento.

Hay quienes creen que, por encontrarse en graves dificultades, les es imposible pagar su diezmo en ese momento, aunque se prometan hacerlo en cuanto sus circunstancias mejoren. Esto no es más que olvidarse de lo principal: cuanto mayor sea la necesidad, mayor será también la necesidad de entregar el diezmo, porque sabemos que las dificultades actuales pueden sólo deberse a la actitud mental de uno mismo (subconsciente, con toda probabilidad), y que las circunstancias no pueden mejorar a menos que se produzca un cambio en la actitud mental. El auténtico diezmo espiritual será la señal indicadora de que esa actitud está cambiando y se verá seguido por la demostración deseada. Al basarse el diezmo en un porcentaje, cuanto menos tenga uno, menos tiene que dar, con lo que el problema se ajusta por sí mismo.

La respuesta a la pregunta de la frecuencia con que se deba pagar el diezmo es muy simple. El momento correcto para hacerlo efectivo es al percibir el ingreso, que puede ser mensual, semanal, semestral o lo que sea. Por regla general, es mejor abonar frecuentes cantidades pequeñas que grandes sumas de vez en cuando, aunque no se puede establecer una normativa exacta.

"Dad y se os dará. Los hombres deberán arrojar a tu seno medidas llenas, bien apretadas, libres de polvo y rebosantes, porque, con la misma medida que te midan, Tú les medirás a ellos" (Lucas 6:38).

Son muchos los maestros de la Verdad que han hecho testimonios a favor del diezmo. Así escribía John Murray:

> Según la Ley Hebraica, diezmo quiere decir décimo y se refiere a una determinada forma de impuesto que,

bajo la Ley Levítica, ordenaba que los hebreos hicie-
sen entrega de una determinada proporción (una décima parte) del producto de sus tierras, ganados, etc.
Para el servicio de Dios. Es importante señalar que,
mientras prevaleció este sistema, la nación judía fue
prosperando, tanto colectiva como individualmente, y
que, dondequiera se haya puesto en práctica con honradez y exactitud, jamás ha fracasado. Si un granjero
se niega a devolver a la tierra un determinado porcentaje del maíz o las patatas que la tierra le haya dado,
no tendría cosecha alguna. ¿Por qué, entonces, esperar recibir Abundancia de Dios si damos con tanta tacañería a su Santa Causa? Quienes hacen entrega de
su diezmo están siempre seguros de estar asociados
con Dios[1].

La conexión entre diezmo y prosperidad no es, después
de todo, sino una expresión determinada de la ley general de que como seamos para el universo, el universo
será para nosotros; de que lo que demos, sea con genero-
sidad o tacañería, será lo que recibamos; de que las cosas
que se parecen se atraen; de que lo que el hombre siem-
bra es lo que cosecha, y de que no hay nadie que pueda
escaparse de la Ley.

---

1. *The Gleaner*, Noviembre, 1922.

Cómo mantener la paz

¿No sería maravilloso que tú, una persona corriente, desconocida e indistinguible, pudieses permanecer sentado tranquilamente en tu cuarto y hacer más por salvar al mundo de los inconcebibles horrores a que otra guerra nos conduciría que todos los estadistas y diplomáticos juntos? Pues así es.

Mucha gente habla hoy como si no se pudiera evitar otra guerra. Otros, al contrario, afirman con optimismo que sería imposible algo parecido. El hecho real es que otra guerra no sería ni inevitable ni imposible. Puede haberla (y, si se produce, la destrucción y horrores que llevará consigo eclipsarán nada soñada hasta el momento debido a los extraordinarios adelantos de las ciencias naturales y de la ingeniería que se han producido a lo largo de las dos últimas décadas), lo que nos llevaría casi con certeza al final de la covilización occidental tal como venimos entendiéndola hasta ahora.

Por otra parte, no existe la menor necesidad de que se produzca otra guerra. Podría ocurrir, pero no es *necesario*.

187

Tenemos a mano un medio por el que un relativamente pequeño número de personas que así lo deseasen podrían impedir que estallase una guerra. En este capítulo, intentaré mostrar exactamente cómo puede llegarse a ello.

Con el fin de comprender de manera inteligente el problema con que nos enfrentamos, necesitamos investigar por qué estallan las guerras. La mayoría de la gente asume que la guerra ocurre como resultado de ciertas acciones concretas realizadas por determinados individuos. Esa gente cree que los líderes de las naciones que tienen autoridad suficiente son los que deciden hacer la guerra a sus vecinos porque se creen con suficiente fuerza para conquistarlos; o que declaran la guerra como autodefensa al objeto de obviar un ataque sobre ellos mismos. También puede darse el caso de que se vean arrastrados a una guerra que ya estuviese teniendo lugar entre sus vecinos a pesar de todos sus esfuerzos por mantenerse al margen. Este es el modo más corriente de ver la historia, aunque, en realidad, esté totalmente equivocado. La realidad es que los actos concretos de los hombres, tales como ultimátums, declaraciones de guerra y cosas por el estilo, jamás se producen porque sí, sino que son el resultado de amplias y profundas corrientes de ideas y sentimientos ya existentes en las masas de los pueblos involucrados. La guerra estalla entre dos países porque, desde hace muchísimo tiempo antes, los corazones de millares de personas de ambos lados de la frontera han sido llenados de odio y temor y, a veces, con rapiña, orgullo satánico y con el resto de los Siete Pecados Capitales. La guerra en sí misma y todos los horrores que conlleva –los disparos, los bayonetazos, las mutilaciones y gaseamientos, la destrucción de la propiedad y todo lo demás– no son sino la consecuencia o puesta en escena en el plano físico de las malas pasiones que la precedieron.

No es posible que un acto violento tenga lugar en el mundo exterior de la experiencia a menos que exista en primer lugar un sentimiento de violencia –miedo, odio, etc.– en el mundo interior de las ideas. Y de igual manera es también verdad que no es posible que ideas violentas anden sueltas por las almas de los hombres sin que tarde o temprano se hagan realidad en el exterior.

De lo dicho, claramente se extrae que el método científico para impedir las guerras debe basarse en el cambio de mentalidad de la gente. Y no hay pero que valga. Sin embargo, ¿cómo llegar a producir este cambio mental? ¿Puede efectuarse a través de los esfuerzos educacionales de libros y folletos, la celebración de cumbres de paz, conferencias internacionales y cosas por el estilo? Está claro que todo lo mencionado constituye un esfuerzo en la dirección adecuada, pero hay que admitir que sus resultados prácticos son, por lo general, escasos y desproporcionados a las labores y gastos implicados. Todos sabemos que todas las guerras modernas fueron precedidas por esfuerzos del mismo género, esfuerzos que, sin embargo, fracasaron totalmente en su detención. No, existe un clarísimo peligro acechando entre todas esas buenas intenciones, porque muchísimas personas mentalizadas espiritualmente, al confiar en ellas, son dirigidas a una falsa sensación de seguridad.

Existe, sin embargo, un método para impedir la guerra que es tan sencillo en su aplicación como infalible en sus resultados. No cuesta absolutamente nada ponerlo en práctica, cosa que puede hacer cualquiera, en cualquier sitio, que esté preparado para concederle un poco de tiempo. Ese método no es otro que la Oración Científica.

Si un número relativamente reducido de personas aprendiese a rezar *científicamente* y dedicase después unos pocos minutos *diarios* a la Oración Científica para obtener la paz universal, *jamás se llegaría a producir otra guerra.* Como es natural, ni hace falta mencionar que existen en el mundo más que suficientes hombres y mujeres de buena voluntad dispuestos a hacerlo, y que el único problema sería el de enseñarles cómo.

Permítaseme decir aquí que no puedo insistir suficientemente en el hecho de que debe tratarse de *oración Científica* para que pueda tener efectos prácticos. Otros métodos de oración, aunque excelentes en su momento y lugar para otros fines, carecen de efecto práctico alguno para impedir las guerras. Podrán confortar a la persona, purificar y desarrollar su alma y armarla de fortaleza para hacer frente a sus problemas, pero no impedirán la guerra. Sólo la *Oración Científica* lo logrará, y eso, sin la menor duda. Lo único que hace falta es que suficientes personas (y no muchas, numéricamente) recen de la manera adecuada para que la guerra no se produzca.

Pero, ¿qué es la Oración Científica? Pues la Oración Científica podría ser definida como la Puesta en Práctica de la Presencia de Dios. Para impedir la guerra, tendrías que dedicar por lo menos cinco minutos al día a la realización de la Presencia de Dios en todas las personas que constituyen la media docena de Grandes Potencias. No te concentres de esta forma para el resto de la humanidad, sino sólo para las personas que constituyen las Grandes Potencias, ya que es mejor concentrar el trabajo allí donde se necesita. La guerra no se producirá a menos que alguna de estas Grandes Potencias se vea involucrada.

Puedes empezar tu oración con la lectura de unos cuantos versículos de la Biblia o de cualquier libro espiritual que te agrade, y también con la repetición de uno de los poemas o himnos espirituales que más te gusten. Afirma, a continuación, que Dios está en todas partes y que todos los hombres, con Verdad Absoluta, son ahora espirituales

190

y perfectos y que solamente expresan Amor, Sabiduría e Inteligencia; que, en Realidad, no existen naciones separadas, porque todos los hombres pertenecen a la Nación Unica de la Divina Familia; que no existen fronteras porque Dios es Unico y no puede separarse de Sí mismo, y que, en Verdad, los únicos armamentos están constituidos por las fuerzas del Amor y de la Inteligencia.

Acto seguido, declara que Dios se encuentra presente en Su totalidad en todos los hombre, mujeres y niños de Alemania, Estados Unidos, Francia, Italia, Japón, Reino Unido, y Rusia[1], y que todos ellos pueden conocer y expresar solamente Paz Serena e Inteligencia y Amor Divinos. Hacer esto equivale a concentrar el trabajo allí donde se necesita y pueda surtir efecto. Puedes terminar agradeciéndole a Dios la Gloria de Su Propia Perfección Divina, que nunca cambia. Si quieres ser un poco más largo, puedes utilizar uno de la media docena de los últimos Salmos, que tratan en su totalidad de alabanza y agradecimiento.

Una vez terminado tu tratamiento u oración, arroja el tema de tu mente hasta el día siguiente. Hay que tener en cuenta que esta oración se relaciona solamente con una realización del bien. Bajo ningún pretexto deberás pensar en los horrores, peligros o causas de la guerra ni pensar en ella durante todo el tratamiento. De hecho, toda la oración o tratamiento consiste en nada más que en un esfuerzo por escaparte en el pensamiento de la idea de la guerra. Decir algo como: "Te ruego, Señor, que no permitas que se produzca otra guerra" es pensar en la guerra, aunque suene de manera piadosa y edificante, y pensar en algo es contribuir a la creación o perpetuación de ese algo.

---

1. Por orden alfabético.

Las guerras llegarán mientras los pensamientos que las producen persistan en el corazón de los humanos. Una oración o tratamiento de carácter científico tendrá el efecto de borrar esa idea de la mente humana, con lo que la guerra no tendrá lugar.

Es preciso que entiendas con toda claridad que no se te pide que mantengas este elevado estado mental durante todo el día, sino sólo por los minutos que dure tu oración. Está claro que, de manera general, evitarás, por tu propio bien, fijarte en horrores de ningún tipo, pero, siempre y cuando puedas olvidarte de ellos durante tu período de oración, habrás hecho todo lo necesario para impedir la guerra.

En lo relativo al tiempo que tendrías que dedicar a esta labor cada día, se podría decir que la cantidad de tiempo es lo menos importante; lo que cuenta es el grado de realización. Si puedes escapar en el pensamiento del sentido de la limitación y el peligro de la guerra durante dos minutos, bastaría con ellos. Si te toma media hora conseguirlo, tómatela. No te concentres demasiado tiempo cada día. Mucha gente avanza poco durante algunas semanas y, poco a poco, lo van consiguiendo con más facilidad. Lo único importante es huir de la sensación de temor y peligro y no caer en ella ni por un momento. Todo ello cambiará de forma positiva y concreta las mentes de las personas de los países interesados e impedirá la guerra.

Ten fe en esta oración diaria. La gente poco estable suele empezar por rezar demasiado tiempo durante varios días para, a continuación y una vez que se han cansado de hacerlo, dejarlo por completo. Rezas demasiado siempre que llegas a la sensación de trabajo y cansancio. A la mayoría de la gente le basta con cinco minutos al día. Recuerda que la Alegría del Señor constituye tu fortaleza. Esta práctica aportará una enorme bendición a tu vida.

Dios constituye la única presencia real y la única fuerza real. Dios está presente por completo en todos los momentos de la existencia. Dios actúa a través del hombre, que forma parte de Su Divina Expresión. Dios actúa a través de todos los hombres sin ninguna discriminación, y en Su mirada no hay diferencias de nacionalidad, bandos o fronteras. Por ello no pueden producirse conflictos. Con Un Sol Dios sólo puede existir un solo plan, el plan perfecto de Dios, y todos los hombres forman parte de él, con lo que cada uno de ellos tiene su propio lugar en el esquema Divino, y no pueden producirse conflictos ni luchas. Dios es un todo, y es en El en quien todos los hombres viven y se mueven y tienen su existencia en perfectas Armonía y Amor.

El espíritu americano *

Principios que sostienen la constitución

"Ningún arma fabricada contra ti prosperará, y condenarás a todas las lenguas que hablen contra ti. Esta es la herencia de los servidores del Señor, y su justicia procede de Mí, dijo el Señor."

ISAÍAS 54.17

Los Estados Unidos no constituyen simplemente una nación más que se añada a la lista de países. Representan también una serie de ideas y de principios especiales que jamás habían sido expresados antes de forma concreta. Estas ideas pueden resumirse en los conceptos de libertad personal y de oportunidades ilimitadas.

Lo que podríamos llamar Espíritu Americano consiste en algo muy real aunque intangible al mismo tiempo,

---

* Publicado originalmente en 1939.

195

pero, en la medida en que sea posible expresarlo con palabras, éstas han sido las empleadas en los dos grandes documentos oficiales de la República Americana, a saber, la Constitución y la Declaración de la Independencia.

Estos dos documentos se encuentran entre los más notables jamás escritos, y su efecto sobre la historia del mundo con toda probabilidad no haya sido jamás sobrepasado. Ambos son bastante cortos, no contando más que con unos pocos miles de palabras, aunque todo hombre pensante y, por supuesto, todo americano, debería familiarizarse con ellos. Pueden conseguirse con facilidad, bien impresos y encuadernados juntos, por unas dieciséis pesetas[1], con lo que no hay excusa para no conocer su contenido.

Lo primero que nos llama la atención al considerar estos textos es la notable diferencia con que enfocan el tema. La Constitución no contiene ninguna exhortación directa. No hace afirmaciones directas sobre la naturaleza del hombre ni sobre su destino ni sobre las relaciones de los hombres entre sí ni con Dios. Aparentemente no consiste sino en un sencillo y seco documento legal. Nunca dice con tantas palabras que el hombre deba ser libre ni que todos los seres humanos debieran vivir juntos como hermanos ni que el hombre sea hijo de Dios. Todas estas ideas vienen expresadas o implicadas en la Declaración de la Independencia. Supongo que la Declaración sea uno de los textos más vívidos y coloridos que jamás haya visto sobre papel. Es estremecedora en su esperanza, fe y entusiasmo. En cambio, la Constitución es más formal, técnica, precisa y, a primera vista, carente

---

1. Rand Mc Nally, Chicago.

de todo interés para los legos en el tema. La verdad es que la Constitución y la Declaración pueden ser descritas, en cierto sentido, como la anatomía y el estudio psicológico del gobierno –una, relacionada con los puros huesos del esqueleto que los sostiene, y la otra, con los tépidos órganos y tejidos vivos de la vida.

Para comprender la Constitución de los Estados Unidos uno debe darse cuenta de que su objetivo es aportar una claramente seleccionada condición de cosas. Su objetivo es también una manera de vivir especial, una forma de vida que hasta nuestros días sólo se ha encontrado en su totalidad en los Estados Unidos. Su objetivo consiste en la *libertad personal* del individuo. Su objetivo es la idea de igualdad substancial y, por encima de todo, de igualdad de oportunidades. Ninguna civilización hasta ese momento había tenido este objetivo. El gran Imperio Romano había tenido algunos objetivos magníficos, aunque ninguno de ellos consistiese en la igualdad de oportunidades. La civilización griega tuvo maravillosos objetivos, pero ninguno fue ése. La gloriosa Atenas se basó siempre en la esclavitud. La Edad Media rechazó de forma terminante las ideas de libertad personal y de igualdad de oportunidades y apuntó más bien hacia una disciplina y uniformidad.

América es la tierra de las oportunidades. Se trata de un dicho muy antiguo, pero es tan verdad hoy como lo fue entonces. Un americano me dijo el otro día que, aunque la anterior afirmación podía haber sido verdad en un tiempo, él creía que ya no lo era. Estaba equivocado. La afirmación es tan válida hoy como antes, y espero demostrarlo así en este ensayo. Es verdad que la frontera occidental ha permanecido cerrada durante más de cuarenta años, pero las fronteras del descubrimiento científico y de la imaginación creadora no podrán ser cerradas jamás, y, mientras la gente tenga libertad individual e igualdad de oportunidades, éstas proporcionarán trabajo a todos.

América es la tierra de las oportunidades. Yo personalmente me he pasado la mayor parte de mi vida en Europa, por lo que llego a las instituciones y condiciones americanas con la mente totalmente abierta, y, cuanto más vivo en América, más me doy cuenta de la enorme libertad que se tiene aquí. En Francia y en Inglaterra existe mucha más libertad política, teniéndola también personal en muchos aspectos; más libertad política, tal vez, en Inglaterra que en Francia, y más libertad personal en Francia que en Inglaterra, pero, incluso en esos dos países, la libertad se ve todavía limitada de múltiples maneras desconocidas para los americanos. En los países del Viejo Mundo y debido quizá a su herencia feudal[2], existe todo tipo de barreras *invisibles* a la libre expresión del alma del hombre, quien constituye parte de la autoexpresión de Dios. Dichas barreras son invisibles. Si pudiese verlas, la gente se irritaría y las echaría abajo, pero son invisibles, aunque no menos reales por ello.

En los Estados Unidos, cuando uno se recorre el país de arriba abajo y se encuentra con todo tipo de gente, se da cuenta de que esas invisibles –y, a veces, crueles– barreras aquí no existen. Me he tomado mi tiempo para estudiarlo tan profundamente como he podido. He visitado todos los Estados de la Unión y he hablado de ello con todo tipo de personas. He tenido el privilegio de tratarlo con algunas de las personas más distinguidas de América –con estadistas importantes, con algunos de nuestros principales profesionales y con importantes ejecutivos

2. Ver Capítulo 17, "El Destino Histórico de los Estados Unidos".

de la industria– así como con trabajadores –maquinistas de tren, soldados, marinos y policías–, y, en el transcurso de mis viajes desde el Atlántico al Pacífico y desde Canadá a Méjico, he hablado con gente de Nueva Inglaterra, con sureños del sur profundo, con gente del Oeste Medio, con vaqueros de las llanuras, con buscadores de oro y mineros de las Rocosas y con personas de toda California y Tejas. También he hablado con obreros negros del sur y con negros altamente educados de Harlem así como con indios de las reservas. Creo que he hablado con todos los tipos de personas que conforman los Estados Unidos.

Como digo, he tenido el privilegio de tratar de este tema tanto con gente muy importante como con gente de la calle, la gente con que uno se encuentra en puestos de "perros calientes" al borde de las carreteras, en vagones-restaurante, en droguerías y en tiendas de ultramarinos de pueblo. Yo también sé escuchar, y me han dicho, cada uno con su propia manera de hablar, lo que pensaban sobre estas cosas y las ideas que les importaban en aquel momento. Por ello, creo que sé bien lo que estoy diciendo y siempre me quedo impresionado por dos cosas en este país. Lo primero que me impresiona es la libertad personal y la riqueza de oportunidades que aquí se ofrecen en tiempos normales. Lo segundo, es que la mayoría de los americanos lo tienen tan asumido, que, en cierto sentido, no saben apreciarlo lo suficiente. Ya sé que sí lo aprecian, pero no creo que lo bastante. Dicen "Es que ¿de qué otra manera podría ser?" Pero yo os digo que, sin la Constitución, podría ser –y sería– muy diferente, porque esas condiciones simplemente son desconocidas en otros países. Jamás se han conocido en lugar alguno. Sólo los Estados Unidos se dan por supuestas una libertad personal general y una igualdad de oportunidades, siendo el objeto de este ensayo contribuir a que la gente se dé cuenta de ello.

En lo relativo al tema de las oportunidades, me veo continuamente asombrado ante la evidencia de la enorme cantidad de oportunidades con que cuentan la mayoría de hombres y de mujeres. El país está en estos momentos saliendo de nueve años de pánico de creer en una depresión, pero, en épocas normales, es imposible que una persona trabajadora no encuentre oportunidad de elevarse a cualquier nivel en América.

Hace unos meses y hablando en una plataforma pública de Nueva York, pedí a la gente que me enviase datos de casos que ellos conociesen personalmente de hombres y de mujeres que habían alcanzado la cima de su profesión *sin ninguna influencia*, sin ninguno de esos ascensores y avenidas invisibles que tan generalizados se encuentran en otros países. Repetí la petición en una emisión radiofónica como una semana más tarde. La respuesta, en ambos casos, fue tan enorme, recibí tantos ejemplos autentificados de casos que fue totalmente imposible acusar recibo de ellos, como tampoco puedo hacerlo desde aquí. Recibí, de todos los rincones del país, cartas sobre gente de empresas locales –no millonarios, sino ejecutivos, directivos, directores, personas con buenos sueldos, gente con puestos de responsabilidad, que procedían del peldaño más bajo de la escala y que habían subido por sus propios medios. Pedí muy en especial que no estaba interesado en historias sobre millonarios, porque el número de personas capaz de hacer un millón de dólares por sus propios méritos será siempre demasiado bajo para tener importancia y porque una persona de tan extraordinaria habilidad podría, con toda probabilidad, ocuparse de sí mismo en cualquier otro sitio. Ocurre, además, que los millonarios, en tanto que clase, no son más felices que otros tipos de per-

200

sonas. Dije también que no quería tampoco ninguna clase de historia del tipo de "De-La-Cabaña-De-Troncos-A-La-Casa-Blanca" ocurrida en otros tiempos y tan conocida de todos. Lo que yo quería eran ejemplos auténticos de hombres y mujeres de nuestros días que se hubiesen elevado por sus propios esfuerzos a puestos de responsabilidad en trabajos interesantes y bien remunerados. Estos casos podían ser muy numerosos. Pues bien, como ya he mencionado, recibí tantos ejemplos que me es imposible reproducirlos aquí, y, además, prefiero con mucho que sea el propio lector el que se lo pruebe a sí mismo. Es fácil de hacer, y les insto a hacerlo sin perder un momento.

No tiene la menor importancia el rincón de los Estados Unidos en que vivas para poder probar por ti mismo esta afirmación en tu propia comunidad y en unos cuantos días. No te fíes de nadie; investiga por tu cuenta unos pocos casos. Intenta dos o tres de las fábricas locales más importantes y te encontrarás con que varios –si no la mayoría– de los puestos de importancia real están ocupados por personas que empezaron hace años sin dinero, sin amigos, sin influencias sociales y, probablemente y al principio, sin educación formal. Investiga las vidas de tus congresistas estatales y federales. Es más que probable que el gobernador del Estado se haya labrado su propio camino en la vida. Pregunta acerca de los directores y propietarios de los periódicos de tu localidad. Selecciona las que tú creas ser las mejores biografías de tu ciudad o pueblo y fíjate en cuál es la historia que se esconde tras ellas. Investiga sobre los rectores de todas los colegios y universidades que pueda haber en tu distrito, sin olvidarte de la biblioteca pública, el museo, las compañías suministradoras de gas y electricidad, la emisora más cercana de radio o cualquier otra actividad humana que pueda desarrollarse. Con un poco de práctica en la investigación de este tipo, te aseguro que encontrarás por ti mismo abundancia de pruebas de que es verdad lo que afirmo, y, al ser éstos ejemplos locales descubiertos por ti mismo, serán mucho más convincentes que cualquier ejemplo de segunda mano que yo pudiera mostrarte. Condiciones de este tipo no se producen en ningún país fuera de los Estados Unidos.

Además, este país se ve casi libre por completo de la mayor parte de prejuicios estúpidos que calladamente envenenan las mismísimas fuentes de la vida en otros lugares. En cualquier lugar del Viejo Mundo, la gente se encuentra empapada y saturada por todo tipo de prejuicios que los países de nueva hechura han olvidado o ni siquiera han llegado a conocer. No es que quieran tenerlos; es que no se dan cuenta de que los tienen. Estas cosas comienzan con la vida misma, se maman con las primeras gotas de leche materna y continúan introduciéndose por los poros de la piel durante todos los días de la vida. Y lo peor es que es la malicia de este prejuicio de la que la gente casi nunca llega a sospechar. Los europeos que se han asentado en los Estados Unidos y vuelven a su país de origen de vez en cuando se dan cuenta cada vez más en cada viaje de vuelta de esta ausencia de todo tipo de estúpidos prejuicios en el Nuevo Mundo. Incluso las personas a quienes más admiran en sus países de origen tienen tendencia a ser un poco estrechas de mente, un poco snobs, un poco demasiado satisfechas con la forma en que van las cosas. Es difícil poner en dedo en el punto exacto, explicarlo con palabras, pero, sin duda alguna, es así. Creo que la mejor manera de resumir la diferencia fundamental en las perspectivas de Europa y de América es diciendo que, cuando aparece una nueva idea o método sobre algo, Europa se pregunta "¿Por qué?", mientras que América dice "¿Por qué no?"

Ya he dicho que creo que la mayoría de los americanos

y, muy en especial, las jóvenes generaciones, tiende a tomarse estas cosas —la libertad y la igualdad de oportunidades – un poco por supuestas. Lo que quiero intentar ahora es contribuir a que os deis cuenta de que no son debidas a la suerte ni brotaron de la tierra del día a la noche ni cayeron enteras del cielo. Esta condición de vida, para existir, tenía que ser producida *por gente que así lo quería*. La gente de la generación que la produjo, la gente de la Revolución, tuvo que elaborarla. *Tuvo que trabajar por ella*. Tuvo que sacrificarse por ella. Tuvo que luchar por ella y, en muchos casos, tuvo que morir por ella. No vino así de fácil. La inspiración estaba allí, pero, como con cada inspiración, tenía que ser realizada en la práctica, lo que siempre es difícil. Siempre es fácil copiar algo viejo y efectuar algunos cambios, pero muy difícil hacer algo realmente nuevo y mejor. En este caso, la inspiración procedía de los jefes, de los Padres de la Constitución, como los llamamos, pero ellos tampoco hubiesen podido hacer nada por sí mismos si la gente no hubiese respondido, trabajado y luchado por asegurarlo. Aquella generación hizo lo que tenía que hacer, lo hizo con un enorme éxito y siguió adelante, y yo quiero que os deis cuenta de que una generación sola no puede hacer obra alguna que dure siempre. Todas las generaciones tienen que hacerlo todo de nuevo por sí mismas o podrían perderlo todo. Del mismo modo en que esta libertad tuvo que ser levantada por quienes la querían, podría haberse perdido de nuevo por descuido o indiferencia. No existe garantía de que nación alguna vaya a contar con derechos y libertades ya para siempre a menos que tenga la mentalidad y la valentía de reclamarlos para siempre. Una de las verdades mayores que se haya dicho nunca es la de que *el precio de la libertad es la vigilancia eterna*.

A menos que estemos tan decididos como nuestros antepasados a mantener la libertad, la armonía y la unidad de la nación, podríamos perderlas de idéntica forma a la que cualquier ser humano puede perder su prosperidad, su salud o su carácter si deja de valorarlas y de luchar por ellas. La libertad es algo que cada generación debe ganarse de nuevo por sí misma.

Si no os tomáis la molestia de servir a vuestro país en pequeñeces tales como daros de alta en el censo y votar en las elecciones, como tomaros un tiempo razonable para estudiar los problemas públicos y como levantar la voz de la manera adecuada a favor de lo que creáis correcto y en contra de lo que supongáis incorrecto, estaréis traicionando a vuestro país y contribuyendo en la medida de vuestras posibilidades a que pierda su libertad. Nuestros padres lo arriesgaron todo para conseguir tales derechos, y todo lo que se nos pide es pensar y votar algunas veces para mantenerlos, aunque esto pueda parecer demasiado para alguna gente.

Pasemos ahora a estudiar la Constitución con mayor detalle. Al estudiarla con cuidado, os encontraréis con un principio general presente en toda ella y subyacente en cada párrafo y cláusula. Se trata de la idea de producir un equilibrio de poderes, la idea de que nadie –persona o grupo– pueda hacerse con el poder y dominar a los demás. Se hizo así porque quienes pusieron marco a la Constitución sabían perfectamente que ningún ser humano está capacitado para tener un poder absoluto sobre sus semejantes.

Los Padres de la Constitución –Washington, Jefferson, Hamilton, Madison, Monroe, Benjamín Franklin y demás– eran hombres que conocían el tema perfectamente porque lo habían estudiado en profundidad. No eran sólo un grupo de despreocupados que se pusieran a hacer algo sin trascendencia de forma ocasional. Habían estudiado las civilizaciones antiguas y los métodos de gobierno empleados en ellas. Habían estudiado los sistemas del medievo y las diferentes constituciones vigentes en Europa en aquellos días. Estaban perfectamente familiarizados con los grandes textos clásicos sobre temas de gobierno, como los de Platón[3] y Aristóteles[4], y de los de escritores más modernos, como Maquiavelo[5] y sir Tomás Moro[6], así como con las posteriores especulaciones europeas sobre el tema salidas de las plumas de Hobbes[7], John Locke[8], Montesquieu[9] y otros. Por todo ello, llegaron a realizar su gran tarea con un adecuadísimo equipamiento. Conocían los resultados de la mayor parte de los experimentos que ya se habían realizado en el mundo.

Pero, por encima de todo, aunque, tal vez, no se diesen cuenta perfecta en todos los casos, sabían que el hombre está sobre la tierra para desarrollar su alma, para ser independiente y para expresar su propia personalidad y su propia determinación, con el fin, como ya hemos dicho, de glorificar a Dios. Esta gran verdad se obtuvo por inspiración, por la misma Inspiración Divina que produjo el Gran Sello y diseñó el dinero americano tal y como todavía es[10].

Enmarcaron con tanto esmero la Constitución para que impidiese cualquier repetición en América del tipo de ti-

---

3. *La República.*
4. *Política.*
5. *El Príncipe.*
6. *Utopía.*
7. *Leviatán*
8. *Sobre el Gobierno Civil.*
9. *El Espíritu de Las Leyes.*
10. Ver Cap. 17, "El Destino Histórico de los Estados Unidos".

ranía que tantas vueltas había dado por Europa durante los tres mil últimos años.

Porque la tiranía no es nada nuevo. Se ha venido estableciendo tanto en Europa como en Asia una y otra vez durante siglos. Si Washington y Jefferson pudiesen volver hoy y ver las cabeceras y primeras páginas de nuestros periódicos con las noticias sobre Europa, no encontrarían nada en ellas que no hubiesen leído muchas veces antes en relación con otras civilizaciones. Por ello, estaban decididos a redactar un documento en el que habría tanto *equilibrio de poder* que sería imposible cualquier tipo de tiranía, ya personal, ya de grupo. El poder absoluto corrompe hasta a los arcángeles, y ellos lo sabían. Si un arcángel contase hoy con poder absoluto sobre cualquier grupo de seres humanos, se convertiría en poco tiempo en un archidemonio. Los Padres de la República sabían que el poder absoluto produce siempre abusos, por lo que establecieron un perfecto sistema de revisiones y garantías.

Constituye un hecho admirable que los principios que encierra puedan aplicarse de la misma manera a gobiernos de instituciones de menor entidad y hasta a la dirección de la propia alma humana. Si deseas desarrollar tu personalidad completa y armoniosamente, física, mental y espiritualmente, encontrarás que, al equilibrar las facultades de tu alma y las diferentes necesidades de tu naturaleza sobre esos principios, obtendrás los avances más rápidos y seguros. El *espíritu* de que está impregnada la Constitución, el espíritu del equilibrio de poderes para permitir la libertad de crecimiento, es casi de aplicación universal.

La Constitución Americana da por supuestas algunas cosas en cuanto al hombre promedio. Asume que el hombre medio es un tipo bastante sensible. Asume que es honrado y asume que es bueno. Me dirás "Pues claro; es natural", y yo, una vez más, te diré que no lo es tanto. Todas las civilizaciones anteriores se basaban en presunciones exactamente opuestas. Toda la política del Viejo Mundo, muy en especial, durante la Edad Media, se basaba en la idea de que el hombre medio era un descerebrado y de que, a menos que fuese vigilado, controlado, regimentado y asustado hasta volverlo loco, no haría más que travesuras y daño tanto a sí mismo como a los demás. Asumía que no era honrado. Asumía que era extremadamente egoísta y que, por lo general, estaba incentivado por los motivos más bajos. Como es natural, ninguna de estas afirmaciones estaba escrita en ningún sitio. Los estadistas no escriben cosas así, porque las cosas así no hacen bonito escritas. Sin embargo, sí escribieron otras cosas, tanto en lenguaje técnico como diplomático, que se basaban exactamente en lo que he indicado antes. Solamente en esta Constitución se da por supuesto que hay que tener confianza en el hombre medio. Ahora es fácil darse cuenta de por qué la Constitución reclama claramente *iniciativa personal, autosuficiencia personal y sentido común personal,* así como una disposición a llegar a compromisos importantes cuando no se pueda estar totalmente de acuerdo, y por qué no puede funcionar sin estos elementos.

La historia de la redacción de la Constitución constituye uno de los ejemplos más interesantes que darse puedan sobre lo que podría llamarse compromiso inteligente, sin lo que es imposible que vivan juntas gran números de personas libres. Aquéllos eran días muy serios. Acababa de terminar una terrible guerra. Entonces no había Estados Unidos, sino trece estados independientes con, en algunos casos, intereses conflictivos, temperamentos conflictivos y algo de prejuicios puros y duros, que nunca se ve la naturaleza humana completamente libre de éstos. Pero aquellos hombres se reunieron y se dijeron "Todos no podemos estar de acuerdo en todo; si insistimos en estarlo, todo se irá al garete, y, habiendo ganado la guerra, habremos perdido la paz. Así que, si tenemos que sobrevivir, mejor será que nos preparemos para un poco de toma y daca." Así lo hicieron. Un estado cedió en una cosa; otro, en otra, siendo la Constitución el resultado de ello.

Según esto, la Constitución americana no hubiese podido llevarse a cabo a menos que la gente fuese autosuficiente, determinada e ingeniosa. Hay países que carecen de interés en estas cosas y que no las tienen. Me imagino que todos tenemos virtudes favoritas. Las mías son la autosuficiencia, la iniciativa, la ingeniosidad y el valor. Me gustan más que ninguna otra, pero existen otras personas a las que no les sucede lo mismo y naciones a las que tampoco. Existen, por ejemplo, países en los que a sus habitantes les gusta que se les dirija y se les dé órdenes para todo, a los que les gusta que les traigan y lleven y se les diga lo que tienen que hacer, cuándo y cómo. Esos países pueden realizar grandes cosas en el mundo a través de la acción de las masas, pero no podrían funcionar con una Constitución como la nuestra. Esta Constitución exige gente que sepa cuidarse de sí misma. Está dirigida a la clase de hombres y de mujeres que desean dirigir sus propias vidas, asumir sus propios riesgos, defenderse por sí mismos y ser personalmente independientes, constituyendo estas cosas las características más relevantes de la mayor parte del pueblo americano.

Hay fijarse bien en que, entre otras cosas, este sistema lleva consigo cierta cantidad de sufrimiento porque, cuando somos libres, siempre cometemos errores. Un condenado a presidio cuenta con muy escasas posibilidades de cometerlos. Le dicen cuándo se ha de levantar, cuándo se ha de acostar, se le da su rancho y se le obliga a comerlo. Se le indica qué ropa debe llevar, qué trabajo ha de realizar y cómo, se le lleva a hacer ejercicio al patio y, cuando se cree que ya ha hecho bastante, se le lleva dentro. Es sumamente difícil que haga nada mal y a duras penas puede cometer un error, aunque, tampoco, como es natural, aprenda nunca a hacer nada. El hombre libre comete errores y, a través de ellos, aprende. Sufrirá, pero el sufrimiento vale la pena cuando se aprende algo. Si no eres libre, no puedes aprender, y el sufrimiento se desperdicia.

Fijáos muy en especial en que la Constitución no garantiza la igualdad de suerte. No puedes tener igualdad de suerte porque la naturaleza humana varía de un ser a otro. No existen dos personas con idéntico carácter. No existen dos personas que poseen la misma habilidad en la misma proporción. Nos encontraremos con que unos tendrán menos inteligencia pero más carácter y que llegan al máximo por esto. Otras personas –todos conocemos alguna– cuentan con una gran inteligencia, aunque tienen menos carácter, por lo que se quedan abajo. Como así son las cosas, no puede existir la igualdad de suerte, aunque exista –y, en América, existe– una igualdad auténtica, que no es otra que la *igualdad de oportunidades*.

Algunos imbéciles dicen algunas veces que El Espíritu Americano constituye un ideal absurdo porque los hombres son básicamente desiguales. El electricista del pueblo –dicen– no es igual que Edison, y Emerson no era igual que su mozo de cuadras. Está claro que los autores de la Constitución se dieron perfecta cuenta de ello, siendo precisamente este hecho el que llevaban impreso en sus mentes cuando diseñaron la Constitución. En un país libre, la igualdad quiere decir igualdad de oportunidades para aprovechar al máximo las capacidades de uno, e igualdad ante la ley, para no discriminar entre ciudadanos. Quiere decir la ausencia de privilegios especiales de ningún tipo y bajo ningún pretexto.

La Declaración de la Independencia no dice que los hombres hayan *nacido* libres e iguales, porque no han nacido así. Dice *creados* iguales, que es muy diferente. Como es natural, todos nacemos diferentes. Es la igualdad de oportunidades la que cuenta, y es la igualdad de oportunidades la que la Constitución se dispone a conceder. Podemos así darnos cuenta de que mediante un, en apariencia, seco documento legal, aquellos hombres inspirados producían un modelo general para el gobierno de los humanos. Pronto o tarde, el mundo entero adoptará los principios de la Constitución americana. Al ser como es la naturaleza humana, cada pueblo o nación instaurará su propia constitución, la cual será, básicamente, la americana, siendo totalmente irrelevante la forma de que la llamen mientras la pongan en práctica.

El mundo es, en nuestros días y hablando en términos relativos, mucho más pequeño de lo que era, debiéndose ello a las mejoras habidas tanto en los transportes como en las comunicaciones. El automóvil, al avión, el telégrafo y la radio han dado como resultado un mucho mayor aumento del riesgo del exceso de centralización que el que existía en la época de Washington, cuando un hombre medio tardaba diez días en ir de Potomac a Nueva York.

Por esta razón, se nos hace claro que las únicas alternativas prácticas a los principios de la Constitución sean bien un despotismo *militar* –llamadlo como os guste–, administrado por soldados, o un despotismo *burocrático* de sempiternos administrativos del Estado, al que podéis llamar socialismo o comunismo. Ambos sistemas se encargan de garantizar el abastecimiento de los individuos con lo esencial en el plano físico, y ambos les niegan también el pan de la vida mental y espiritual. Esta es la razón por la que ambos sistemas sean eternamente inaceptables para aquellos que posean al Espíritu Americano, aparte del hecho de que cualquier tipo de gobierno despótico es seguro que pronto o tarde –al no estar permitida la crítica– se vea envuelto en la corrupción más rampante. Por ello, si no deseáis convertiros en siervos de aventureros militares bravucones o de inanimados burócratas carentes de personalidad, debéis poneros de manera clara y definida del lado de la libertad personal y los principios de la Constitución; deben preocuparos lo suficiente para defenderlos ardorosamente con todos los medios que tengáis.

La Constitución no es ningún experimento. Me sorprendió el otro día oír cómo un americano (y, además, se suponía que muy culto) decía al tiempo que sacudía la cabeza "Es un extraordinario experimento". ¡Experimento, después de siglo y medio! No está mal para un experimento; un experimento, por otro lado, que cuenta con más de 130.000.000 de habitantes en un subcontinente que posee todo tipo de climas y casi todas las condiciones naturales. Así que, lejos de ser un experimento, la Constitución se ha justificado por completo a sí misma. Ha constituido un éxito sin paliativos. Cualquier auténtica dificultad por la que haya podido atravesar este país, una vez analizada detenidamente, se ha debido a haberse apartado de alguna manera del espíritu –si no de la propia letra– de la Constitución. Pensadlo bien. Leed la historia del país y os encontraréis con que los problemas y situaciones embarazosas que los Estados Unidos hayan tenido que afrontar durante los últimos ciento cincuenta años o más han sido siempre resultado de un alejamiento del espíritu de la Constitución.

La Constitución se ha justificado plenamente a sí misma. Ha concedido a la gente el nivel de vida más alto del mundo. Los más pobres de Estados Unidos están mejor que los pobres de cualquier otro país. A pesar de los ocho o nueve años de pánico debidos a la Depresión –y se trataba sólo de un pánico al miedo– y de otras dificultades, existe en este país todavía un nivel de vida más alto que en ningún otro. Y hay que hacer notar que los que le siguen inmediatamente en calidad de vida son otros países libres. Es en los países en los que la libertad y los derechos de los individuos han sido pisoteados donde se siguen produciendo los niveles de calidad de vida más bajos.

La Constitución ha producido el más elevado nivel de vida. Ha producido la mayores oportunidades en la educación. Existen más oportunidades para educarse en este país –en especial, para los chicos y chicas pobres– que en ningún otro lugar del mundo. En este país existen más posibilidades de éxito, de propia realización, de prosperidad y de felicidad para el hombre medio que en cualquier otro país del mundo.

Bajo esta Constitución, el país ha prosperado materialmente. Ha ganado todas las guerras en que ha participado y, por lo general, la historia de sus tratos con otros países del mundo ha sido digna de encomio. Jamás permitáis que ningún extraño os desilusione u os engatuse con la idea de que los Estados Unidos cometen más errores que otras naciones, porque eso no es verdad. Los Estados Unidos han cometido equivocaciones, naturalmente, porque están constituidos por seres humanos, razón por la que, con toda probabilidad, seguirán cometiéndolas en el futuro, pero los demás países también han cometidos sus errores y, sin excepción, han sido peores y más numerosos que los nuestros. En esto estriba la diferencia: al ser un país joven, libre y democrático, todos

212

los errores y equivocaciones en que incurre se sacan al aire y se exponen, mientras que en los demás países las equivocaciones son silenciadas, mostrándose al mundo una falsa portada de honradez. Incluso en aquellos países en que existe libertad de prensa, la tendencia es la de mostrar la mejor cara posible en todo, como para que no se les vea el lunar poco favorecedor. Creen que la prensa es como el escaparate de la nación y que, por lo tanto, debe decorarse lo mejor posible. Sin embargo, en América, todo se airea, dando la impresión en el momento actual que nuestra prensa se regocija haciendo que todo parezca lo peor posible. Al final, puede decirse que esta actitud es sana y correcta porque mejor es conocer lo peor que vivir en una sensación de falsa seguridad.

Así que os ruego que recordéis que los países extranjeros jamás son tan virtuosos como parecen, y que, en los Estados Unidos, las cosas van siempre mucho mejor de lo que parecen. Se ha dicho que constituye una de las peculiaridades de los americanos el permitir que cualquier escándalo se alargue durante más tiempo que en la mayoría del mundo, que, cuando se hartan, lo eliminan, lo limpian todo y ponen en su lugar algo mucho mejor que lo que existía hasta ese momento. Probablemente sea verdad, y me gusta esa impresión de ir derecho a las cosas.

Una de las críticas que se oyen con mayor frecuencia de este país es la de la supuesta corrupción política o "unte", como gustan de llamarlo los periodistas. Sin duda alguna, existen bases para esta queja, pero debemos señalar que, ante todo, se ha exagerado enormemente la magnitud de esa corrupción política. No hay duda de que existe, pero tampoco hay duda de que la inmensa mayoría de quienes están introducidos en la política –tanto local, como estatal, como federal– son personas sinceras y honradas que intentan hacerlo lo mejor que pueden en las circunstancias en que se encuentran. Por otra parte, tampoco existe ningún otro país en el que no se produzca una buena proporción de "unte". En los países del Viejo Mundo, sin embargo, el "unte" se produce de manera mucho más científica y –se podría decir– artística. No se da en ellos con toda la crudeza que lo convierte en algo del dominio público en este país. Se oculta de formas que han sido elaboradas con siglos de experiencia, pero existe, y no se necesita mucho conocimiento de la naturaleza humana para darse uno cuenta de que, cuanto más despóticas sean las instituciones de un país, mayor será el florecimiento del "unte" oculto.

Esta es la razón de que exista corrupción política en América. Existen en esta inmensa y nueva nación tantas cosas interesantes y que merezcan la pena de llevarse a cabo para el desarrollo general del país que la mayoría no encuentra incentivos para dedicarse a la política. Por ello, los políticos han tendido a ser personas con un menor grado de capacidad y de carácter. Durante el maravilloso desarrollo de un continente nuevo, lo natural es que algo tan rutinario como la administración política no atraiga a los mejores tipos de personas, como ocurre en otros países, donde existen pocas oportunidades alternativas para hacerse un porvenir. Sin embargo, es obvio que la opinión pública se ha despertado y que la corrupción política está, por fin, desapareciendo. Yo no tengo dudas de que dentro de poco constituirá, en los Estados Unidos, algo perteneciente al pasado.

Otra de las críticas que solemos oír con gran frecuencia es la supuesta existencia de más delitos en este país que en ningún otro. Sin embargo, una justa consideración del tema nos indica que también este problema está siendo vencido. Hay que tener en cuenta que la localización y arresto de los delincuentes presenta aquí muchas más dificultades. En Francia, Inglaterra o Alemania, por ejemplo, nos encontramos con una población homogénea que cuenta con las mismas tradiciones y enseñanzas. Además, esos países son pequeños en extensión, por lo que es mucho más difícil a un delincuente esconderse en ellos. Los Estados Unidos constituyen un inmenso continente, el que existe una buena cantidad de mezcla de razas y de tradiciones que, como es natural, favorecen las manipulaciones de un estafador. Además, el hecho de que existan en este país cuarenta y ocho* jurisdicciones semi-independientes ha facilitado de manera natural que gente con pocos escrúpulos pueda escapar al brazo de la justicia, aunque este problema vaya siendo superado por las autoridades federales.

Pongamos bien en claro que este problema de la criminalidad no es algo que haya existido de forma permanente en los Estados Unidos, sino que se debe en realidad a que una ola que siguió a la Primera Guerra Mundial y la Depresión imposibilitaron a muchos jóvenes el encontrar trabajo. Si, además, tenemos en cuenta el total fracaso del experimento de la Prohibición, para el que la opinión pública todavía no estaba preparada, y las ventajas producidas por quebrantar gran cantidad de leyes, podremos ver que el desgraciado brote de criminalidad que viene marcando los años más recientes sea en realidad una excepción y algo pasajero.

Tal vez no estaría de más señalar que los delitos más importantes hayan sido cometidos, por regla general, por inmigrantes extranjeros o por hijos de éstos, que todavía no han tenido tiempo para absorber el Espíritu Americano. En muchos de los casos, estos forajidos procedían de países en los que, desde el Imperio Romano, no había

* *N. del T.*: Ahora son cincuenta.

existido ni libertad ni gobierno seguro, y en los que la gente, por lo tanto, no había sido educada a respetar la ley ni a confiar en ella. De nuevo aquí se nos hace obvio que sólo sea cuestión de tiempo que estos males se curen a sí mismos de manera automática.

Los Estados Unidos no deben tener miedo alguno al futuro mientras su pueblo permanezca unido en ideas y sentimientos, como ciertamente harán. Dos americanos, con total independencia del lugar del país del que procedan o de las circunstancias que rodeen a cada uno de ellos, siempre tendrán mucho más en común entre sí que lo que pudieran tener con cualquier extranjero, siendo este hecho fundamental de máxima importancia en su influencia.

Así las cosas, la Constitución nos proporciona la base de una vida libre, próspera e independiente para todos los ciudadanos. La anticuada frase "pura democracia jeffersoniana" expresa a las mil maravillas la idea esencial de la Constitución, al igual que lo hace la propia Casa Blanca. Una visita a ésta constituye un tónico tanto moral como para el espíritu. Su sencilla y tranquila dignidad hace de Versalles o de Potsdam o de lugares semejantes edificios teatrales y llenos de oropeles en comparación. No se trata de un palacio, sino de la residencia de un caballero particular que actúa como Magistrado en Jefe de la nación durante cierto tiempo. La mayoría de los presidentes con que los Estados Unidos han contado durante los últimos ciento cincuenta años han ejemplarizado esta idea en sus vidas personales. Tanto Washington como Lincoln lo hicieron de formas muy diferentes. Al llegar a oídos de Calvin Coolidge[11] las nuevas de su sucesión, éste se encontraba en la hu-

---

11. Como Vicepresidente, accedió a la Presidencia al morir el Presidente.

216

milde granja de su padre, que era magistrado, por lo que el nuevo Presidente juró su cargo allí mismo y en la mismísima Biblia familiar. He oído que Teodoro Roosevelt juró el cargo caso de la misma manera, pero lo que sí es verdad es que, en cuanto su familia se trasladó a Washington, sus hijos más jóvenes fueron enviados inmediatamente a la escuela pública más próxima. ¿Sentimentalismos? Creo que no. Son, probablemente, simples ejemplos prácticos del panorama general que hemos estado estudiando.

Un americano auténtico tendrá que realizar esfuerzos para incorporar ese modo de ver la vida a cada fase de la suya. Si es rico, evitará con sumo cuidado todo lujo superfluo o cualquier cosa que pueda levantar barreras artificiales entre sí y sus conciudadanos. Si no es rico, no permitirá que ningún ideal apócrifo le produzca sentido alguno de inferioridad por ello, por entender que es el carácter lo que en realidad cuenta.

Así, en líneas generales, es el espíritu de la Constitución americana, y yo, por lo que a mí me concierne, me siento orgulloso de rendir mi homenaje personal a la elevada visión y habilidad política que encierra.

El destino histórico
de los Estados Unidos

El misterio del dinero americano

Para llegar a comprender la especial tarea que los Estados Unidos han asumido llevar a cabo en la historia de la humanidad, tendremos, en primer lugar, que recordar que el pueblo americano consiste históricamente en aquella parte de europeos cuya tarea consistió en explorar el continente americano, domeñarlo y desarrollarlo.

Mientras consideremos a un país por sí mismo solamente, nos será imposible llegar a comprender su importancia. Para conocer el verdadero lugar que ocupa en el esquema de las cosas, tendremos que tener en cuenta su conexión con la corriente general de las tendencias de la historia. Ni que decir tiene que un punto de vista partidista –como, por ejemplo, el "patriótico"– constituye una desesperanzadora desventaja en la búsqueda de la verdad. Tanto en el estudio de la historia como en el de carácter científico, a la verdad se llega solamente tras una investigación objetiva y carente de apasionamiento.

Nos encontramos con que el trasfondo histórico sobre el que se formaron los Estados Unidos fue en realidad la antigua civilización feudal europea. Toda la historia moderna nace del Imperio Romano, y todas los cálculos se remontan a él como si fuese una especie de línea de referencia. Las civilizaciones antiguas se vieron culminadas con el Imperio Romano, del que manaron tanto las culturas y políticas medievales como modernas. El Imperio Romano fue disgregándose y desapareciendo poco a poco por diferentes razones que en este momento carecen de interés, y fue seguido por una situación caótica a la que denominamos Edad de las Tinieblas, que fue evolucionando paulatinamente y, probablemente, con el conocimiento o intención de todos los interesados hasta convertirse en la gran civilización del feudalismo. Esta civilización del feudalismo medieval constituyó un gran logro y, durante siglos, proporcionó a los europeos el instrumento político-social exacto que necesitaban para su desarrollo y expresión propia. Estaba formado por un cuerpo de leyes, tradiciones, costumbres e instituciones, bajo ningún concepto perfecto –nada hecho por humanos lo es–, aunque, de forma general, útil y adecuado para la tarea que debía realizarse.

Sin embargo, todo lo bueno termina perdiendo con el tiempo y desapareciendo, y, como los cada vez mayores conocimientos del hombre y la cada vez mayor cantidad de poder que emana de esos cada vez mayores conocimientos se fueron acumulando, el sistema feudal fue, poco a poco, haciéndose obsoleto como antes había sucedido con el Imperio Romano, produciéndose entonces la necesidad imperiosa de una sociedad nueva, más libre y con mayor amplitud de miras. Pero raras veces estos grandes cambios se producen con facilidad. Lo que se ha gastado difícilmente abdica de los despojos de su declinante autoridad sin presentar batalla, que fue lo que ocurrió con el sistema feudal, que luchó por no morir y tardó en hacerlo, sucumbiendo, por fin, al final de la Primera Guerra Mundial. Los grandes movimientos intelectuales y espirituales a los que conocemos por Renacimiento, Reforma, Revolución Industrial, Revolución Francesa y, como pretendo demostrar, Revolución de los colonos americanos, no fueron sino actos de este único gran drama.

El cierre de la ruta directa a Oriente llevó al descubrimiento de América por Cristóbal Colón en 1492, hecho que proporcionó un tremendo ímpetu a la imaginación de los hombres. La invención de la imprenta liberó sus mentes e hizo que la Reforma, que, en un principio, sólo fue la ruptura con la autoridad en temas espirituales, fuese inevitable, y que, una vez alcanzado ese objetivo, el de la libertad política fuese sólo cosa de tiempo y de oportunidad. La única cuestión era la de dónde y cómo se produciría.

A pesar de los cambios revolucionarios que se habían llevado a cabo tanto en las cosas mentales como en las espirituales, el feudalismo, en su faceta política y social, seguía fuertemente arraigado a mediados del siglo XVIII. A pesar de la Reforma, a pesar de los utópicos sueños de algunos escritores y filósofos, no existía nada parecido a la libertad política tal como la conocemos en nuestros días en Europa. Un poco más libres relativamente en algunos sitios; un poco menos, en otros, la realidad pura y dura era que los hombres tenían miedo –con independencia de la manera en que pensasen– a decir o hacer lo que quisiesen mientras eso que querían pudiese no gustar demasiado a los poderes que ostentaban la autoridad.

Sin embargo, una vez que un individuo o nación alcanza cualquier grado de libertad espiritual, no es sino cuestión de tiempo que esa libertad interior se vea exteriorizada, por lo que era inevitable que la humanidad alcanzase también la libertad política, estribando la única duda en el lugar en que se produciría. La única duda era en qué país ocupado por la raza blanca iba a fructificar la semilla de la libertad. Si echamos una ojeada al mapa de Europa a mediados del siglo XVIII, de Norte a Sur y de Este a Oeste, veremos que podríamos buscar en vano un lugar idóneo para que se produjera tal hecho. Como es natural, en todas partes había personas preparadas para lo nuevo, pero en ningún lugar existía una corriente de opinión pública favorable a ello y muchísimo menos un gobierno establecido y dispuesto a tolerar nada por el estilo.

Es sólo cuando volvemos nuestra mirada de Europa y miramos a través del Atlántico Norte a las nuevas o todavía relativamente nuevas colonias de europeos establecidos en el litoral oriental de América, cuando nos encontramos con algo parecido a lo que buscamos. Aquí, por lo menos, tenemos algo que tal vez no sea la democracia ideal soñada por los poetas, pero sí una democracia relativamente sencilla y, comparada con la de Europa, una comunidad sumamente democrática en la que las realidades del feudalismo no habían podido echar raíces porque el propio corazón de éste estaba ya muerto antes de que se estableciesen las colonias. En el Nuevo Mundo, hasta el Tory más recalcitrante se encontraba tan lejos de casa y de la atmósfera natural del feudalismo, que, sin saberlo, era, en muchas de las cosas importantes, mucho más radical que cualquiera de los Whigs de Londres.

Algunas de las comunidades más influyentes de América fueron fundadas por refugiados religiosos que huían de las persecuciones que sufrían en sus países, con lo que, incluso contando con las Leyes Azules[*] y con una algo más que menor tiranía puritana, la principal corriente subconsciente de pensamiento e ideas –lo que hace realmente que se mueva la opinión pública– carecía claramente de cualquiera de aquellos profundos instintos de no cuestionar el respeto por la autoridad establecida que tan comunes eran el las mentes europeas de la época.

Vemos, por consiguiente, que era absolutamente natural, cuando llegó el momento de que la raza blanca europea se librase de las cadenas del feudalismo y comenzase a establecer una libertad política, que el gran impulso espiritual –porque eso es lo que era– tomase la línea de menor resistencia y surgiese no en Francia ni en Inglaterra ni en Alemania, sino en las que entonces eran conocidas por Colonias Americanas. En otras palabras, la Revolución americana no consistió en una mera trifulca entre Inglaterra –la Tierra Madre– y una colonia rebelde, lo que quizás hubiera podido evitarse con una diplomacia más astuta, un empleo de la fuerza algo más rápido o los riesgos de una o dos batallas. Se trataba nada menos que una parte –¡y qué parte!– de la gran marcha que la Humanidad había emprendido hacia la libertad. Porque –no nos equivoquemos aquí– la marcha de la Humanidad, a pesar de lo que digan pesimistas miopes, sigue siempre adelante y hacia arriba en busca de objetivos mayores, más bellos y mejores. Pude que se produzca algún retroceso de vez en cuando, pero el camino que lleva la historia siempre va hacia adelante y hacia arriba y apunta a la libertad.

---

[*] *N. del T*: Leyes puritanas originarias de las colonias de Nueva Inglaterra que prohibían determinadas prácticas, especialmente beber y trabajar en domingo, bailar, etc.

Era inevitable que el movimiento que buscaba un gobierno democrático eficaz brotase entre el grupo de personas que habían arriesgado todo por el derecho a buscar la verdad espiritual, dondequiera ésta pudiera conducirles, así como el de rendir culto a Dios a su propia manera.

Y las colonias se rebelaron, se enzarzaron en una terrible batalla, la ganaron y establecieron –en cualquier caso, en principio– la doctrina según la que la autoridad de los gobiernos justos deriva del consentimiento de los gobernados y no de ningún supuesto derecho divino, de conquista o fuerza bruta. Para el fin que perseguimos, no existe la menor necesidad de tener en cuenta los detalles de la lucha ni de evaluar la valía o falta de ella de las personalidades involucradas. El desatino del rey Jorge III y la estupidez del general Burgoyne, por un lado, y, por otro, el carácter único de Washington, no tienen nada que ver con el principio implicado. Es poco probable que las colonias hubiesen ganado cuando ganaron sin la extraordinaria combinación de cualidades que Washington poseía, pero, si no hubieran ganado entonces, lo hubiesen hecho más tarde porque era inevitable la existencia de unos Estados Unidos independientes. Para llevar a cabo por completo su destino histórico, este país tenía que ser independiente de cualquier gobierno europeo.

El punto esencial que tenemos que tener en cuenta es el de que, en los principios que proclamaron en la Declaración de la Independencia y otros documentos, los Padres de la Constitución indicaron con toda claridad la idea que perseguir y el ejemplo que posteriormente siguieron en todas partes los Heraldos de la Libertad. Fijaron las normas con sus cerebros y corazones y con el éxito militar que los posibilitó como un hecho consumado.

De esta manera, la venturosa revolución de los colonos americanos no constituyó solamente la victoria local de las trece colonias, sino, también y nada menos, uno de los momentos cruciales en la historia de la Humanidad porque desvió de una vez para todas la corriente principal de la historia en una determinada dirección. Al fijar el molde para el posterior desarrollo del pueblo europeo, fijó también el molde definitivo para toda la Humanidad. Si no se hubiera instaurado una república democrática en el continente americano en 1776, la Revolución Francesa, que se produjo trece años más tarde, no hubiera tomado el rumbo que tomó, y, si la Revolución Francesa no hubiese tomado el rumbo que tomó, toda la historia del mundo –no sólo la de hoy, sino la de generaciones futuras– hubiese sido también diferente.

Fue el éxito de la Revolución Americana el que dio auténtico sentido a la doctrina de los Derechos del Hombre como la doctrina del derecho a la libertad individual en todos los planos, perteneciente al hombre como imagen y semejanza de Dios; porque eso es lo que la frase de la Declaración de la Independencia quiere decir realmente en lo concerniente a la vida, la libertad y la persecución de la felicidad. Esta afirmación del Derecho Divino de cada hombre y mujer a marcar su propio camino constituye el Derecho Fundamental del Hombre, y, aunque, muy en especial como consecuencia del caos sobrevenido a causa de la Primera Guerra Mundial, pueda ser que dicho principio se haya perdido de vista en algunos lugares, dicha pérdida o eclipse es sólo temporal y, a la larga, prevalecerá la victoria de la libertad.

La Revolución Francesa, influenciada mucho más de lo que la mayoría de la gente se imagina por lo ocurrido en América, prosiguió su camino, haciendo resonar su nombre desde entonces en la historia del mundo entero. La labor que realizó en pro de la libertad de los hombres fue tan fundamental y arrolladora que –en razón de su propio éxito– a veces tendemos a minimizar su importancia. Porque, como el antiguo mundo feudal al que eliminó había desaparecido de forma tan completa que tendríamos que retornar a la vieja Rusia de los Zares para encontrar algo parecido, podemos olvidar con facilidad qué malo fue el feudalismo y cuán espantoso podía ser en su decadencia y lentísima muerte. Sin embargo, la Revolución Francesa ha recorrido el mundo durante los últimos ciento cuarenta años (a España sólo llegó anteayer), procediendo básicamente toda esta ola de libertad de la pista dada por los colonos americanos al establecer con tanto éxito los Estados Unidos.

Los pueblos angloparlantes han sido siempre pioneros en la causa de la libertad humana. Han sentido siempre de forma intuitiva que la libertad personal constituye el primer y más importante bien y que ninguna otra bendición podría en modo alguno compensar de la pérdida de aquélla. Tanto en el Viejo Mundo como en el Nuevo, han sido ellos los que se han puesto a la cabeza de la Humanidad para el establecimiento de la libertad de las personas y de la ciencia o arte del autogobierno, que constituye su única garantía. Fueron los ingleses del Viejo Mundo quienes golpearon primero para establecer la libertad personal. A través de toda su historia se han venido enfrentando al despotismo tanto en la política como en la religión y, siempre que las condiciones en que se encontraban no fuesen tan difíciles como para hacerlo imposible, establecieron la libertad en el máximo grado, de hecho, que pudieron. La *Magna Charta*, el Decreto del Habeas Corpus, la Ley de Derechos y el juicio eficaz mediante jurado constituyeron un regalo que Inglaterra hacía al mundo. Se indignó y decapitó a un Rey en la persecución de ese principio y quién sabe si no hubiese hecho lo propio con otro si no hubiese huido a tiempo y refugiado en otro país antes de ser cogido. Las instituciones parlamentarias, en su forma efectiva, tenían su origen, naturalmente, en la "Madre de los Parlamentos", y los colonos americanos, en su rebelión contra la Corona británica no hacían sino actuar de plena conformidad con las instituciones británicas.

No cabe duda alguna de que, si, en 1776, la mayoría del pueblo británico pudiese haber sido consultada, su veredicto hubiera sido a favor de los colonos. George Washington tuvo que luchar para defender su vida no contra el pueblo inglés, sino contra la pequeña y unida oligarquía que mantenía a aquél en su poder.

El pueblo inglés no tenía voz ni voto efectivos en la elección de sus gobernantes y, por ende, en el control de sus políticas, hasta el Decreto de Reforma de 1832. Esto es lo que dice Green, el historiador, en su obra clásica, de aquella época:

> En un momento en que contaba con todo el poder del Estado, La Cámara de los Comunes había dejado, en un sentido real y efectivo, de constituir una corporación representativa bajo concepto alguno... Ciudades grandes, como Manchester o Birmingham, carecían de representantes, mientras todavía había miembros que ocupaban escaños correspondientes a barrios que, como el de Old Sarum, habían desaparecido de la faz de la tierra... Incluso en ciudades que tenían auténtico derecho a reclamar su representación, la limitación de privilegios municipales... a una pequeña porción de sus habitantes y, en muchos casos, la restricción de derechos electorales a los miembros de la corporación gobernante, convertían su representatividad en sólo una palabra... *De una población de ocho millones, sólo ciento sesenta mil tenían derecho al voto*. Hasta

qué punto se encontrada alejado el Parlamento de representar la realidad de la opinión inglesa podemos constatar en el hecho de que, en la cumbre de su popularidad, Pitt a duras penas pudo sentarse en él... ni un reformista pudo alegar, sin oportunidad de ser desmentido, que "Esta Cámara no representa al pueblo británico. Representa a barrios que sólo existen en nombre, a ciudades arruinadas y exterminadas, a familias nobles, a personas que se han enriquecido y a extranjeros potentados"... Era verdad que el Parlamento era la institución suprema y, en teoría, el representante de la totalidad de los ingleses, aunque, de hecho, la inmensa mayoría del pueblo británico se encontrase impotente para controlar el camino emprendido por el gobierno inglés.

Es posible que pueda decirse que también el Imperio Británico de Ultramar deba su libertad a la victoria de los americanos. Fue la lección sufrida en Yorktown, bien aprendida y asimilada por la casta gobernante británica, la que llevó a la concesión de autogobierno total para los dominios británicos –uno tras otro–, sin la que no hubiesen permanecido bajo pabellón británico durante una generación más. Hoy por hoy, esos dominios gozan de total libertad y constituyen virtualmente repúblicas independientes. Son miembros leales y satisfechos de la Comunidad Británica de Naciones por causa de su libertad y no a pesar de ésta. Esta Comunidad no constituye un sistema federal, sino una cadena de alianzas libres. Entre otras cosas, constituye una espléndida garantía contra las guerras entre los países que la componen.

Habiendo descrito ya el desarrollo de la libertad intelectual, social y política, llegamos al siguiente escalón de importancia capital en la historia de la Humanidad. Este es la aproximación de las nuevas ideas, a las que denominamos Verdad o Ciencia Divina. Esta gran revelación no es en realidad sino la doctrina de la Totalidad y Disponibilidad de Dios y consiste en la doctrina de que Dios está presente en todo momento y en todos lugares y de que todo hombre y mujer tiene el derecho y el poder de acceder directamente a Dios sin la mediación de ninguna persona ni institución ni autoridad humana, siendo éste el significado real de la cláusula de la Declaración de la Independencia que dice "Todos los hombres han sido creados iguales." Este fue el siguiente gran paso adelante para la Humanidad, y de nuevo aquí surge la pregunta: ¿Dónde podía y podría producirse una doctrina parecida con alguna perspectiva de ser oída por el pueblo?

Hagamos aquí una pausa para considerar lo que significa esta enseñanza. La doctrina de la Totalidad y de la Disponibilidad inmediata de Dios constituye, sin duda alguna, el descubrimiento más revolucionario e importante que la raza humana haya hecho jamás. La Inmamencia de Dios en Su creación ha sido siempre conocida por todos los miembros más avanzados de la raza, aunque sólo unos pocos hayan entendido nunca lo que para nosotros es la implicación más importante de dicha doctrina; es decir, que la Inmanencia de Dios quiere decir que Éste se hace disponible inmediatamente a cualquier ser humano que se vuelva hacia Él en pensamiento para realizar una sanación o para recibir inspiración o cualquier tipo de auxilio. El descubrimiento de este hecho es, con mucho, el acontecimiento más importante que haya jamás ocurrido tanto al individuo como a la especie. ¿Qué otra cosa existe que pudiese compararse con ésta ni por un solo instante? Cuando nos pongamos a pensar en la terrible lucha que el ser humano ha mantenido para alcanzar aunque no sea más que nuestra relativamente retrasada situación –porque, mientras continúen la enfermedades, la pobreza y, sobre todo, las guerras, no podemos llamarnos más que retrasados–, cuando nos pongamos a meditar en la lucha terrorífica que hombres y mujeres de todas las razas han tenido que llevar para alcanzar el grado de salud, prosperidad y felicidad que realmente poseen, nos daremos verdadera cuenta de cuán trascendental es el descubrimiento de este conocimiento de que el poder de Dios, Poder Infinito, Inteligencia y Amor pueden sobrellevar el peso de todos nuestros problemas y que ya no tenemos que depender de nuestros propios, débiles y tambaleantes esfuerzos.

Esto es lo que constituye en realidad el cristianismo científico, el mensaje cristiano original. Podemos encontrarlo a lo largo y ancho de toda la Biblia, aunque no es hasta que llegamos al Nuevo Testamento cuando lo vemos mencionado de forma explícita. Por desgracia, se permitió que el movimiento cristiano se transformase, durante el reinado del emperador Constantino, en un Departamento de Estado, con lo que su Idea Espiritual se desvaneció rápidamente de la mente de los hombres. A medida que pasaban los siglos y de vez en cuando, el mensaje original de Jesús fue siendo redescubierto parcialmente por varias personas mentalizadas espiritualmente, siendo muy en especial George Fox, el fundador de los cuáqueros, quien más se acercó a él. Sin embargo, no fue hasta el segundo cuarto del siglo XIX cuando la Idea Espiritual volvió a surgir con toda su fuerza.

Algunas cosas –ahora vemos– tenían que acontecer antes de que el gran Renacimiento moderno de la Verdad pudiera tener lugar. La primera de ellas era la preparación intelectual. La Idea Espiritual es solamente una experiencia espiritual, aunque, para ser puesta en práctica de forma inteligente, necesite ser captada también por el intelecto. A menos que comprendáis de forma inteligente algo de la teoría subyacente, sólo podréis ponerla en práctica de forma ocasional y por casualidad. Por supuesto, hoy en día existen muchas personas que lo hacen sólo así. Obtienen resultados de vez en cuando mediante el ejercicio de sólo su naturaleza sensitiva y sin tener una comprensión clara de lo que están haciendo. Pero esto implica que uno nunca de verdad llegue a convertirse en Maestro de la Palabra, como tenemos derecho a llamarnos. Sin embargo, la mayoría de los estudiosos de la verdad aprecian ahora en todo su valor la necesidad de alguna comprensión intelectual, siendo este hecho el que constituye nuestra garantía de que la Verdad no se pierda otra vez como ocurrió aproximadamente en el siglo IV.

Para que la gente pueda contar con esa comprensión intelectual es necesario que conozca el concepto de Ley Natural. La mayor, con toda probabilidad, diferencia fundamental entre lo que llamamos tiempos modernos y el resto de la historia es que, por vez primera en la evolución de la especie, el público en general entiende el concepto de Ley Natural. Hoy en día, hasta los niños en edad escolar se dan perfecta cuenta de que viven en un mundo regido por la ley, y no por pura casualidad. Entienden perfectamente que, si la electricidad se va, es porque, en algún punto del circuito, se ha roto alguna de las leyes que la gobiernan –un plomo o una bombilla fundidos o un interruptor defectuoso–, pero jamás se les ocurre que el hecho de que se vaya la electricidad consista en un acto arbitrario de Dios para castigar a alguien. Cuando una epidemia se ensaña en una ciudad, la gente sabe que algún error se habrá cometido en algún sitio –por lo general, el error que llamamos suciedad–, mientras que, en otros tiempos, se asumía como cierto que la peste se había cernido sobre la ciudad como un acto directo de Dios y sin nada que ver con la sanidad o cualesquiera otras condiciones. De la misma manera, la escasez o abundancia de las cosechas, la caída de un relámpago en una casa, los terremotos, los maremotos y demás fenómenos de la Naturaleza son hoy perfectamente comprendidos como actos que siguen las leyes naturales. Dicho de otra manera, nadie se imagina que Dios manifieste Su Majestad rompiendo las Leyes del Ser, sino, antes bien, cumpliéndolas.

Pero este concepto de Ley Natural tenía, sencillamente, que ser aceptado por toda la gente en general antes de que la enseñanza que conocemos como Verdad pudiera llegar a extenderse entre todos. Toda la idea del tratamiento espiritual u Oración Científica se basa en la confianza en Dios como Principio. Nuestra confianza, que es el secreto de cualquier demostración espiritual, se basa en el hecho de que Dios, que es la Armonía Perfecta, no puede causar ni respaldar nada que no sea perfectamente armónico en Su manifestación.

Durante todas las épocas, la gente ha recitado sus oraciones para pedir a Dios que realizase algún milagro en su favor inmediatamente suspendiendo las leyes naturales "sólo por esta vez" para salir del atolladero, pero, para que la verdad espiritual prevaleciese, y la oración se convirtiese en auténticamente científica, el hombre había de alcanzar la fase en que la llamada para que Dios le ayudase no fuese para quebrantar las leyes naturales, sino para que, más bien, el poder de Dios *cumpliese* con dichas leyes para sacarle del apuro. Esta postura no pudo alcanzarse en líneas generales mucho antes de que se iniciase el siglo XIX. Ya en el siglo XX y para siempre a partir de ahora, es ésa la única postura que la gente consentirá jamás en aceptar. Las personas educadas en la manera de pensar ortodoxa han, en muchísimos casos, dejado de lado la oración sólo por haber alcanzado esa fase de desdoblamiento espiritual por la que no podían permitirse pedir un milagro privado sin sentirse ellas mismas ridículas. La comprensión de la Totalidad de Dios nos enseña que nuestros propios "milagros privados" no son otros que el pecado, la enfermedad y la muerte, y que la armonía y felicidad completas constituyen la condición normal de vida tal como la diseñó el propio Dios.

La comprensión intelectual de la ley era una de las condiciones necesarias para el renacimiento de esta verdad, constituyendo la otra una situación externa de libertad política con una tradición de independencia personal de juicio.

Haremos ahora una pausa para considerar por qué, cuando esta doctrina iba a llegar al mundo, se necesitaban las especiales condiciones sociopolíticas que sólo podían darse en los Estados Unidos y para cuya puesta en funcionamiento habían sido éstos creados en realidad. De hecho, tomó cuerpo entre la gente sencilla, inculta y corriente de Nueva Inglaterra, granjeros, pequeños comerciantes, artesanos, etc. Las grandes ideas nunca llegan a este mundo en un punto aislado; siempre llegan hacia el mismo momento, pero con diferentes grados de claridad y en distintos lugares. Cuando comprendamos que existe una "mentalidad de la especie" general y común a todos los seres humanos, veremos por qué había de ser así. Estas ideas se filtran en los puntos en que, por una razón u otra, existe un camino fácil. Solemos decir que algunas ideas "están en el aire". Pues aquellas ideas también "estaban en el aire", como, por ejemplo, la "mentalidad de la especie" en aquel momento, y lo que ocurrió fue que varias personas se hicieron con dichas ideas más o menos al mismo tiempo y con diferentes grados de intensidad. Se ha discutido en algunos sitios sobre a quién debería otorgarse el honor de la prioridad, pero eso carece de importancia. Si a alguien hubiera de otorgarse ese honor, sería, probablemente, a Phineas Park Quimby, un pragmático relojero de Portland, en el Estado de Maine. Quimby carecía de lo que de manera convencional denominamos educación. No tenía prácticamente ningún tipo de estudios y, mucho menos, erudición, aunque era, de su propio natural, persona sumamente espiritual y contaba, además, con las grandes cualidades de amplitud de miras y gran inteligencia. Al igual que Faraday, encuadernador y genio en cierta medida parecido, a quien a veces se llama Padre de la Ingeniería Eléctrica, Quimby tenía el don natural de la experimentación científica, que aplicaba también al tema de las sanaciones mentales y espirituales. Pero la cosa estaba, de manera general, "en el aire". Es Emerson, sin género de dudas, el profeta de la enseñanza, aunque, con su despego académico por las minucias de la realidad, no descubrió su aplicación práctica para la sanación del cuerpo y resolución de asuntos. Prentice Mulford también la tuvo por su lado, pero en absoluta de manera tan clara como Quimby, no habiendo distinguido claramente jamás entre lo espiritual y lo físico. También hubo muchos otros pioneros.

La pregunta que al llegar aquí se nos presenta en la mente es la siguiente: ¿Por qué este descubrimiento, el hallazgo más importante de toda la historia de la Humanidad, fue realizado por un relojero educado a sí mismo en su trabajo? ¿Por qué no se llevó a cabo en Harvard o Yale u Oxford o Cambridge o cualquiera de los demás grandes centros de la enseñanza del continente? ¿Por qué no, para seguir, fue revelada la Gran Verdad a cualquiera de los obispos o arzobispos o a uno de los líderes intelectuales o espirituales reconocidos? ¿Es que el Espíritu Santo tiene preferencia por la gente sencilla e inculta y prejuicios contra la cultura y el liderazgo? La respuesta, por supuesto, es que el Espíritu Santo, que representa a la Sabiduría de Dios en acción, no tiene ningún tipo de preferencias. ¿No somos ya sabedores de que Dios no es ningún respetador de personas? Sin embargo, sí que existe una condición indispensable que debe darse para que pueda recibirse la revelación espiritual: debe darse una amplitud de mente así como una ausencia de orgullo espiritual. El propio Jesús formuló esta regla al decir "Si quieres entrar en el reino de los Cielos, deberás ser como un niño", y nuestra educación académica contemporánea, tanto religiosa como laica, ha manifestado un defecto paralizador: no ha desarrollado la humildad espiritual ni intelectual, sino, bien al contrario, ha mostrado una tendencia fatal a alimentar el orgullo espiritual. Hombres y mujeres de educación académica suelen sentir con demasiada frecuencia –aunque no siempre conscientemente– que las cosas deben ocurrir de una determinada forma porque ésa es la manera en que se les enseñó a esperar que ocurriesen. Y, mientras, la voz de Dios sigue murmurando eternamente: "¡Mirad cómo todo lo hago nuevo!"

En igualdad de circunstancias, este mensaje debiera haber llegado a los rectores de las grandes universidades o a los cabezas de las iglesias más importantes, porque, como consecuencia de sus puestos oficiales, podrían haberlo pasado con mayor rapidez y a un mayor número de personas que cualquier hombre oscuro, y, como la Providencia Divina elige siempre el camino mejor, hubiese escogido preferentemente esos canales, pero –¡ay!– esos canales estaban cerrados. El canal más abierto y claro para la enseñanza de Jesucristo fue el relojero de Portland, y, como siempre recibimos lo que merecemos (lo que quiere decir justo aquello para lo que estamos preparados), el relojero fue quien obtuvo la revelación. Una vez más, el dedo de Dios había degradado a los poderosos en sus tronos y elevado al humilde y desconocido.

Una vez concedido que el Gran Mensaje debía llegar a través de un canal humilde, ¿por qué no podía haber sucedido en cualquier lugar de Europa? ¿Por qué era tan necesario que las condiciones se pudiesen encontrar sólo en América? La respuesta es que en Europa, que todavía yacía bajo la sombra decadente del feudalismo, había más de un alma humilde que pudiese convertirse en el canal abierto para la recepción de la Verdad, pero que, aunque ese alma pudiese ser receptora de dicha Verdad, lo más probable es que no hubiese tenido suficiente fe en su propio criterio como para recibir la inspiración recibida ni, si la tenía, le hubiera sido posible expresarla en medio de las condiciones sociales y políticas existentes en aquel momento.

Supongamos que un relojero o un campesino de Inglaterra hubiese recibido la Gran Idea. Casi con certeza, hubiese ido a consultar con el párroco o con el ministro de su iglesia acerca de la cosa tan maravillosa que le había ocurrido. Aquel párroco o aquel ministro podrían haberle recibido con amabilidad, pero seguro que le habrían dicho: "Esas ideas tuyas parecen atractivas y suenan muy bien, pero no pueden ser verdad porque no coinciden con las enseñanzas de nuestra iglesia. Por lo tanto, son falsas y perniciosas, siendo el propio hecho de que sean atractivas con tanta naturalidad lo que las hace ser mucho más peligrosas para quienes se ponen en contacto con ellas. No digas nada de esto a nadie y, en cuanto a ti, trata de olvidarlas. Satanás, que siempre está ocupado, y cuya sutileza no puede compararse con nada, te ha tendido una trampa." En Alemania o Escandinavia, el pastor de la localidad, o el sacerdote, en Francia o Italia, le hubiesen recibido casi de idéntica manera. Sólo en los Estados Unidos existía en aquel momento y lugar una tradición de independencia personal entre la gente corriente que podía posibilitar tanto la recepción como la publicación del Gran Mensaje. Por eso fue en los Estados unidos donde ocurrió todo.

De esta manera, hemos llegado al punto en que a la Humanidad le había llegado el momento de dar su gran paso; el terreno había sido preparado mediante la colocación de un grupo selecto de europeos en otro continente, lo que constituía la única forma en que podían verse libres de las ataduras de las innumerables y anticuadas tradiciones y costumbres de usos e ideas. Habían sido colocados en otro continente porque tenían que llevar a cabo un nuevo trabajo en pro de la especie humana. Pasemos a considerar ahora, de forma más amplia, en qué consiste dicho trabajo.

El destino histórico de los Estados Unidos es, en primer lugar, el dar a luz esta Verdad, a la que, por conveniencia, denominamos Ciencia Divina, proporcionando el único clima en que podría nacer y vivir. En segundo lugar, los Estados Unidos estaban destinados a producir una nueva nación totalmente diferente de cualquiera de las ya existentes. En tercer lugar y para terminar, los Estados Unidos estaban destinados a establecer un nuevo orden de sociedad tan diferente del feudalismo como éste lo era respecto de las civilizaciones que le habían precedido. A este nuevo orden que, poco a poco, ha venido tomando forma en este continente le voy a llamar, por falta de mejor término, el Sueño Americano. Este término ha sido bastante utilizado por uno o dos escritores modernos, pero sirve perfectamente a mis propósitos. Y ahora, voy a pediros que consideréis en qué consiste realmente el Sueño Americano.

El Sueño Americano no consiste en una romántica actitud pasajera, sino, de verdad, en una nueva actitud ante la vida y un nuevo orden de sociedad. El Sueño Americano representa, entre otras cosas, la idea de que todos los hombres y mujeres −con total independencia de quiénes fueran sus padres− deben contar con los mismos derechos y oportunidades. Consiste en la creencia firme de que cualquier don de cualquier tipo puede darse indiscriminadamente en cualquiera de las clases de la comunidad, y de que el niño pobre y sin amigos tiene, dadas las oportunidades, las mismas probabilidades de adquirir un carácter noble o capacidades intelectuales o espirituales que el niño con mejores padrinos en la tierra. Lleva consigo la idea de que los hombres y las mujeres, cuando no están separados entre sí por las barreras artificiales de casta social, pueden llevarse juntos perfectamente bien, y de que su mutuo servicio y colaboración se dan mejor bajo estas condiciones. No fomenta ninguna diferencia artificial, y dice, efectivamente, que "las herramientas, para quien sepa trabajar con ellas." El Sueño Americano incluye la idea de que hasta el hombre más sencillo puede ascender −y ascenderá− a cualquier puesto cuando se vea expuesto a su propia responsabilidad, pudiendo estar a la altura de cualquier potencial emergencia; y también contiene la idea implícita de que no existe dificultad alguna que la humanidad no pueda superar si así lo desea, porque "donde exista la voluntad existe la forma."

En Europa y todavía más en Asia, siempre se ha dado la sensación de que hay determinados males que han de sufrirse porque son inconquistables y no existe modo de evitarlos, pero, para el auténtico Espíritu Americano,

238

nada es inconquistable, deleitándose en abordar problemas difíciles. El Espíritu Americano no valora en nada el sentido del temor ni respeta exageradamente nada en particular, esté vivo o muerto. Cualquier tipo de autoridad es tenido en poca estima, debiéndose ello al sentimiento intuitivo de que nuestros condicionamientos externos son, en realidad, esencialmente mudables, y de que la persona lo puede dominar todo. A todo esto es a lo que, básicamente, llamamos Ciencia Divina.

Para esta gran obra que ha de realizarse en el continente americano –recordad que el Sueño Americano está solamente empezando a producirse–, la Divina Providencia ha elegido cuidadosamente sus instrumentos. Cada una de las naciones del universo tiene una tarea especial que realizar en pro de la especie humana que ninguna otra nación puede llevar a cabo, de igual manera que cada persona en particular tiene su propia tarea que ninguna otra pueda realizar, con lo que la nueva nación que se está formando ahora en este continente va a ser completamente distinta a cualquier otra ya existente. Los Estados Unidos serán tan diferentes de Gran Bretaña, Francia o Alemania como estos países lo son entre sí. Pero, ¿cómo se hace una nación? Está claro que las naciones no aparecen en la historia como por arte de ensalmo al igual que Minerva surgió entera del cerebro de Júpiter. Tampoco, naturalmente, existe nada como una nación de "pura raza", cosa que se opondría a los principios esenciales de la biología. La historia nos muestra que las nuevas naciones han sido siempre conformadas mediante la selección de individuos de naciones anteriores, combinándose éstos para formar algo nuevo. De la misma manera que, en la química, un compuesto nuevo y de propiedades nuevas se forma mediante la agrupación de elementos antiguos, una nación nueva se forma siempre mediante la reagrupación de individuos de otras naciones. El gran Imperio Romano no fue sino la nueva y maravillosa agrupación de un cierto número de tribus antiguas que nunca se habían agrupado de esa manera. La grande y única nación francesa consiste en una especial combinación de francos, galos y otros pueblos de mayor antigüedad. Los propios británicos no son sino una amalgama especial de muchas corrientes secundarias. Decía Tennyson "somos sajones, normandos y daneses", y podría haber añadido, ya puesto a ello, "y también un montón de soldados romanos, y muchos celtas y una variadísima mezcla de posteriores inmigraciones" ya que todas esas corrientes afluentes han contribuido a formar la corriente principal de la Gran Bretaña de nuestros días.

Los elementos destinados a formar la nueva nación americana han sido elegidos cuidadosamente por la Providencia sacándolos de todas las naciones europeas. Ingleses, irlandeses, escoceses, holandeses, alemanes, italianos, escandinavos y demás, han contribuido con su cupo. Lo mismo ha ocurrido con teutones, latinos, eslavos, además de anglosajones; todo porque la Naturaleza había decidido hacer algo nuevo. Los anglosajones podían pensar que hubiese sido mejor una selección puramente anglosajona, de la misma manera que los teutones creerían que una nación solamente germánica constituiría un plan mucho mejor, aunque también tendrían algo que decir los pueblos latinos y eslavos. Sin embargo, la Providencia sabía qué era lo mejor. Y, como ella nunca se repite, decidió hacer algo completamente nuevo.

Y ahora nos preguntamos, ¿cómo era elegida la gente destinada a construir la nueva nación? Dicho de otra forma, ¿cómo había de decidirse quiénes vendrían a América, y quiénes, no? Imagina que la Providencia te hubiese consultado sobre esta punto de tan vital importancia y te hubiese preguntado cómo hubieses tú elegido tus inmigrantes. Puede que, tal vez, si no supieses mucha historia, hubieras elegido a los ciudadanos más distinguidos de la Vieja Europa tanto social como culturalmente, pero la historia nos demuestra que esas personas, por muy admirables que sean personalmente, jamás producen nada nuevo y que, si lo producen, nunca dura demasiado. Cuando una aristocracia alcanza su plena madurez, la historia nos dice que empieza a declinar. O, tal vez, hubieses montado una cierta cantidad de exámenes de capacitación y hubieses sacado... En fin, todos sabemos lo que hubieses sacado. La mayoría conocemos cuál es, por regla general, la carrera que sigue el niño más brillante de la escuela. Raras veces oímos que haya hecho algo nuevo en particular y mucho menos edificar una nueva civilización. Pudiera ser que establecieses una serie de tests, trampas o redes para quedarte con un determinado tipo de gente. También se había ensayado ese truco. A todo lo largo de la historia, emperadores y gobernantes han intentado hacer implantes artificiales, en diferentes territorios, de personas elegidas a dedo, y jamás ha dado resultados como no sean, por regla general, grandes fricciones locales y una enorme desilusión final.

La pregunta que tenemos que formularnos a nosotros mismos es la de qué cualidades serían las que deberíamos seleccionar. Si nos libramos del primer gran peligro de elegir al tipo de personas más apropiado para hacer las cosas que aprobamos en vez de para hacer algo nuevo, estaremos con toda probabilidad de acuerdo en que, para construir una nueva civilización, las cualidades que necesitaríamos estarían relacionadas con el carácter, porque ésas son la que no pueden enseñarse o ser impartidas por medios artificiales. Conocimientos, preparación técnica, buenas maneras y hábitos sociales correctos son cosas que pueden aprenderse sin demasiada dificultad en, al menos, una generación o dos, si, para empezar, existen las bases fundamentales del carácter; y las bases fundamentales que necesitamos son, en primer lugar, el valor –valor físico y valor moral– y, además, el valor espiritual. Necesitamos también un carácter emprendedor. Necesitamos una energía a la que no se le niegue ninguna forma de exteriorizarse. Necesitamos perseverancia y determinación. Por encima de todo, necesitamos constancia en nosotros mismos e ingenio. Necesitamos la voluntad de romper con las viejas tradiciones y la predisposición a asumir las nuevas perspectivas.

Y ahora, ¿cómo se va a seleccionar a las personas que posean estas características de sus vecinos que no las poseen? Pues no existe más que una manera de hacerlo, y esa manera es la que la Providencia dispuso para que los Estados Unidos recibiesen aquellos elementos que iban a construir su futuro; es decir, la emigración espontánea. La emigración general y espontánea a una nueva tierra hace automáticamente y por regla general, de criba de aquellas cualidades que hemos mencionado antes. Es la gente que posee en esencia esas cualidades la que, a la larga, levanta su casa en su país de origen y emigra a otro, porque –haced el favor de recordar– la emigración no es asunto fácil.

Considerad las condiciones de vida en un antiguo país con un orden de cosas establecido y no susceptible de ser alterado fácilmente. Con toda probabilidad, tendrá un exceso de población para los recursos con que cuenta, y las oportunidades estarán muy restringidas para el hombre y mujer medios, siendo en la práctica, inexistentes para los pobres. Seguir los pasos de su padre por el mismo surco será, en la mayoría de los casos, a lo máximo que podría aspirar un campesino u obrero de cualquier país de Europa. Algunos individuos excepcionales podrán surgir del fondo y levantarse hasta la cima, pero siempre serán excepciones. Mirlos blancos. Pero todos los jóvenes, al menos en algún momento, son ambiciosos y aventureros hasta un cierto grado –"los pensamientos de la juventud son muy, muy, largos"–, y en las noches de cualquier rincón de Europa, los chicos y las chicas se reunirán después de la jornada y hablarán de las restricciones a que se ven sometidas sus vidas, de la ausencia de oportunidades, la mezquindad de sus pagas, la ceguera de sus padres y cosas por el estilo, y, muy frecuentemente, media docena de ellos llegarán a mostrarse de acuerdo y decir en su conversación: "Ya estoy cansado de esto. Nada me retiene aquí. Me voy a América."

Diez o veinte años después, uno de entre aquella media docena se habrá ido a América, dejando a los demás rumiando todavía sobre sus restricciones o consolándose a sí mismos con algún falso pretexto, como hace mucha gente. Pero, ¿cuál de los seis es el que habrá llegado a América? ¿No os dais cuenta de que tiene que ser el único que posea en su grado máximo las cualidades que enumeramos antes? Para llevar a cabo el gran –y, para ellos, onerosísimo– viaje desde la vieja calle del pueblo hasta el Nuevo Mundo, esa gente sencilla ha necesitado poseer cualidades que, en verdad, no pueden ser calificadas con nada inferior a heroicas. Así ha ido recibiendo América su material humano.

Así ha ido formándose una nueva nación, y a una escala y con una rapidez como nunca ocurriera antes en la historia de la humanidad. Mirad a la historia de este continente durante los tres cortos siglos que los americanos vienen viviendo en él; miradla con cierto sentido de perspectiva histórica y preguntáos a vosotros mismos qué tipo de gran tarea nacional ha sido llevada a cabo con tal magnitud y rapidez en tiempos pretéritos. Todo un continente ha sido explorado y dominado y, en gran medida, explotado en dicho tiempo, habiéndose planificado, además, de forma concreta la base política y social de una gran nación. Casi todos los antiguos precedentes y tradiciones han sido quebrantados con éxito, y se han establecido, también con éxito, un nuevo método y un nuevo ángulo de enfoque de la vida.

¿Cuál es, después de todo, la más extraordinaria diferencia entre Europa y América? ¿Qué es lo que más que cualquier otra cosa llama la atención del visitante europeo cuando viaja por el Nuevo Mundo? Os lo diré: la *juventud*. Lo más retador, llamativo y extraordinario de América es su sentido de juventud en todo. Como londinense que soy, lo que más me llama la atención de América es su espíritu juvenil. En América, todo el mundo es joven. Olvidáos del calendario; aquí, los corazones son jóvenes. Esta es la enorme diferencia y también el secreto del Sueño y del Logro Americano.

Tomad la historia, por ejemplo, de los pioneros del Oeste, uno de los más extraordinarios modelos del Espíritu Americano. La historia hará justicia algún día a la gran epopeya –porque eso es lo que fue–, que recibirá entonces el trato literario que merece. Se trató, básicamente, de un movimiento individualista, planificado y llevado a cabo por simples hombres y mujeres del pueblo llano según el espíritu del Sueño Americano. Sin preparación de ninguna clase y sin facilidades reales, hombres y mujeres carentes de todo, excepto de la intrépida tradición pionera de América, deshicieron sus hogares, atestaron con sus hijos, padres y utensilios domésticos –sus mesas, sus sillas, escobas, cazuelas y ollas– unos carros, carretas y carromatos, o cualquier cosa a la que pudieron echar mano, y se lanzaron a un desierto desconocido y poblado con hostiles salvajes. Lucharon y se fueron abriendo camino; trabajaron, tuvieron esperanzas, rezaron y volvieron a trabajar hasta que pudieron establecer los cimientos de la gran civilización del Oeste que todavía está por llegar. Muy diferente todo de las marciales invasiones de soldados entrenados, alimentados y dirigidos por expertos militares a las que el mundo se había ya acostumbrado, o del ciego deambular de las tribus nómadas de unos pastos a otros. Se trata de una historia humana que puede medirse con la que cantó Homero, y como tal la debiéramos reconocer si no estuviéramos cegados por la familiaridad del marco que la rodea.

Los pioneros del Oeste hicieron su trabajo y salieron del escenario, pero otro trabajo tan importante y grande como el suyo nos espera a sus sucesores. La tarea a que se enfrenta cada americano es la de hacer verdad el Sueño Americano en su propia vida, hasta el máximo que le sea posible, haciéndose a sí mismo libre como persona; libre en cuerpo, alma y espíritu. Libre en su cuerpo demostrando salud corporal; libre en el alma liberándose en la medida en que le sea posible de todo prejuicio entorpecedor, ya sea de partido, raza, credo o casta, y de todos los esnobismos y limitaciones que siglos de opresión han marcado a fuego la vida en el Viejo Mundo; libre en espíritu alzándose por encima de las infecciones de la avaricia y envidia personales, rencores despreciables, orgullo mezquino y pequeños resentimientos que constituyen, en todos los países, los principales obstáculos a la humanidad. El Sueño Americano no consiste en una bonita teoría destinada a ser escrita en papel, sino una vida que vivir por sí misma, por la nación y por la Humanidad. La mejor Constitución y la más grande Declaración de Independencia jamás realizadas no son sino meras frases hasta que no se incorporan a la práctica diaria de la gente que vive. Por ello, a menos que estéis intentando incorporar el Espíritu Americano a vuestras vidas y conductas personales, no sois auténticos americanos, aunque contéis con antepasados que llegaron en el "Mayflower".

Si te permites juzgar el valor de un hombre por otra cosa que no sea su carácter, si le discriminas por cualquier razón que esté fuera de su control, no eres un americano auténtico. Si le juzgas por sus padres o por sus amistades o sus condiciones exteriores en vez de hacerlo por él mismo, no eres un americano auténtico. Si te permites poner trabas a alguien por cualquier tipo de precedentes o tradiciones, no eres un americano auténtico. Si crees que alguna clase de trabajo honrado puede ser degradante o, como se suele decir, está "por debajo de tu dignidad", no eres un americano auténtico. Si prefirieses depender del lujo en vez de ser independiente en un ambiente sencillo, no eres un americano auténtico. Si te permites ser deslumbrado por algún alto cargo o intimidado e hipnotizado por títulos pretenciosos o espléndidos uniformes del tipo que sean, no eres un americano auténtico. Y, a menos que creas que el niño o la niña más pobres que realizan trabajos en la granja o juegan en la acera de la gran ciudad tienen tantas posibilidades –dada la oportunidad– de convertirse en los más exaltados espíritus de la nación como el niño educado en el regazo del lujo, no eres un americano auténtico.

El destino maravilloso de los Estados Unidos viene señalado, para aquellos que saben entender, por un extraordinario sistema de símbolos espirituales que fluye a través de toda la vida nacional. Probablemente, en ningún otro lugar se produzca un sistema de simbolismos tan completo y minucioso consagrado a un determinado objetivo. Recordad que el simbolismo es el lenguaje de la verdad encubierta. Se trata de la forma más primitiva de lenguaje conocida por el hombre y sigue siendo la más fundamental. Fue éste el lenguaje en que el hombre primitivo intentó expresar ideas vagas, aunque tremendas, para las que carecía de palabras y, por supuesto, de ideas claras. Es la lengua con que el subconsciente nos habla a través del medio de los sueños y ensoñaciones, siendo las cosas transcendentes que el Superconsciente nos quiere decir transmitidas también en esta lengua.

Uno de los aspectos más interesantes que hacen que un símbolo viviente sea diferente a una simple clave muerta es el de que está siendo constantemente demostrado por toda clase de personas que no sospechan ni por un instante qué es lo que hacen. Esas personas hacen público –y, por lo tanto, tienden a perpetuar– el símbolo espiritual bajo la impresión, por lo general, de que están, simplemente, haciendo uso de un adorno o decoración que agrada a su sentido artístico o a lo que ellas consideran conveniente. Por ello ocurre que se empleen continuamente símbolos de la mayor importancia para la Humanidad en cosas corrientes y en actos normales de la vida diaria ante los que pasamos sin darnos cuenta a no ser que se nos llame la atención sobre ellos. Esto es lo que sucede también con la colección de bellísimos símbolos espirituales relacionada con el destino de los Estados Unidos.

El grupo de mayor importancia de dichos símbolos ha sido diseñado para que pueda encontrarse en posesión de todo americano sin tener que realizar por su parte ningún esfuerzo extraordinario, y de tal manera que su publicación no dependa de ningún interés particular ni acuerdo especial susceptible de romperse, fallar o desaparecer.

¿Cuál es el objeto que circula por toda la nación y que está en las manos de todo el mundo, rico o pobre, en el campo o en la ciudad? ¿Qué es tan esencial para la conducta diaria que nadie deja de utilizar constantemente y que, al mismo tiempo, sea muestra aceptada del propio marco de la sociedad? El dinero, naturalmente. El dinero, al parecer la cosa más común y natural de la vida, constituye, de hecho, la expresión material de lo más fundamental que darse pueda, porque es nuestra expresión de la propia substancia y de la relación equilibrada de servicio entre las personas. Comprender el valor real del dinero es ser próspero y libre; no comprenderlo significa la pobreza de alguna manera o forma y, por lo tanto, vivir atado. Hacer del dinero un dios es hacerse esclavo de uno mismo. Ignorar el dinero o no entender su valor real acarrea, antes o después, la pobreza. El dinero, entendido como se debe, es un instrumento que nos capacita para dar a nuestro prójimo algo a cambio de sus servicios sin perder nuestra libertad, cosa que ningún otro sistema de intercambio, como, por ejemplo, el trueque, puede lograr. El hecho de que el actual sistema monetario sea poco satisfactorio en la práctica y que hace que, sin género de dudas, tenga que sufrir cambios radicales en múltiples detalles antes de mucho no altera que el dinero en sí constituya algo excelente y el único instrumento inventado para garantizar al hombre su libertad económica.

Ahora podemos ya comprender por qué el destino histórico de este país –que hemos visto como espiritual y liberador para la Humanidad– deba verse expresado en un sistema de símbolos específicos, lo que explica el maravilloso Misterio del Dinero Americano. En la antigua Tradición Oculta (que, por supuesto, es mucho más antigua que los anales históricos aceptados), a un sistema

coherente de símbolos que temporalmente oculte una
verdad vital con un velo a quienes estén relacionados
con ésta se le conoce con el nombre de Misterio.

El dinero americano constituye con toda probabilidad
el grupo de símbolos más maravillosos que jamás se
haya puesto en manos de la gente para expresar su destino nacional. Varios estudiantes americanos de metafísica
llevan mucho tiempo analizando algunos de esos símbolos, pero, incluso para ellos mismos, el Misterio permanece velado. Dediquemos ahora algún tiempo a su investigación. Estoy sosteniendo en mi mano un cuarto o
moneda de veinticinco centavos de dólar y me atrevo a
decir que no existe objeto alguno con el que ninguno de
vosotros se encuentre más familiarizado que con esta
moneda, pero ¿la habéis alguno contemplado alguna vez
espiritualmente? Pues bien, de lo primero de que me doy
cuenta es de la imagen, bellamente ejecutada, de una figura femenina protegida con un escudo. La figura está
delicadamente dibujada e indica un porte destacado y
confiado; es una figura con aplomo. Relacionándola con

el escudo, uno buscaría, naturalmente, encontrar una espada en su mano derecha, pero, en vez de una espada material, lo que lleva es una rama de olivo, símbolo de la paz y de la buena voluntad. La mujer, como siempre en simbología, representa el alma, y aquí el alma se ve armada no con la espada de Marte, sino con la espada del Espíritu, que no es otra cosa que la Palabra de Dios. Si esto no es oración o tratamiento espiritual, ¿qué es entonces? Encima de su cabeza está escrita la palabra *Libertad*, y la libertad o carencia de ataduras de las limitaciones del pecado, de la enfermedad y de la muerte, constituye la demostración final del alma armada con la Palabra del Poder. Ahora, mi atención se ve llamada por la frase grabada sobre la moneda; posiblemente, la más grande de todas las frases que se hayan compuesto: *Confiamos en Dios*. ¿No constituye esta frase la condensación de toda la sabiduría humana? Si pudieseis tener una leyenda grabada en vuestro propio corazón; si, en tanto que padres, tuvieseis el poder de escribir algún mensaje en el corazón de vuestros hijos, ¿no desearíais grabar allí "Confío en Dios"? Pues bien, la Divina Inteligencia se la ha escrito en todas las monedas que puedan pasar por sus manos. Daos cuenta de que el peligro mayor relacionado con la posesión de dinero consiste en la sensación de que pueda proporcionar a la gente una falsa seguridad, que pueda hacerles dependientes de su propio poder o de su riqueza, pero la Divina Sabiduría ha colocado aquí, sobre el propio dinero, el antídoto contra él: *Confiamos en Dios*.

Hago girar aquí la moneda y, en la otra cara, me encuentro con un lema –también, el mejor de todos–, nada menos que la mismísima Ley Cósmica condensada en tres palabras; nada menos que el texto de todo un libro sobre la verdad metafísica y espiritual, condensado en una sola frase; toda la Biblia escrita en una cáscara de nuez: *E pluribus unum*. Uno de Muchos. ¿No se trata de toda la historia del descubrimiento de la verdad sobre Dios realizado por el hombre? Al principio, el hombre piensa de sí mismo que está separado de la Deidad y cree en muchos dioses, pero, a medida que la Luz de la Verdad se va haciendo en su alma, pasa, en primer lugar, de creer en muchos dioses a creer solamente en el Unico y, acto seguido, al punto final, que consiste en conocer su unidad esencial con El, lo cual constituye la salvación. Posteriormente, se va dando cuenta de la verdad cósmica –"Todos menos Uno: Uno menos todos"– en que consiste en realidad el auténtico sentido que se oculta tras el lema. Se trata de toda la historia de Dios y el hombre tal como se da en las enseñanzas más elevadas, como, por ejemplo, cuando Jesús dice en la Biblia: "Mi Padre y Yo somos Uno". Pues ahí está, en la cara de una moneda que todo americano, hombre, mujer, niño o niña posee. Toda la Biblia fue escrita para enseñar esta verdad a la humanidad, creándose el movimiento de la Verdad Metafísica, del que la Ciencia Divina forma una de las partes, para extender dicha verdad en los tiempos modernos. Sólo existen una Presencia y una Fuerza, pero esa Presencia Se diversifica en el Universo y Se individualiza en el hombre, sin, por ello, dejar de ser Una: *E pluribus Unum*.

Para terminar, me fijo en lo, tal vez, más bello de esta hermosa moneda, la magnífica águila voladora, y me pregunto que qué es lo que significa ese águila sustentada en el aire por sus potentes y hermosas alas. Pues bien, el águila es, como está claro, uno de los símbolos de la victoria, pero hay todavía mucho más que eso. Una antigua leyenda relacionada con este ave nos dice que cuenta con una extraordinaria peculiaridad que la distingue de las demás. Cuando se desencadena una gran tormenta, todas hacen una de estas dos cosas: o se abrigan poniéndose al socaire y ocultándose o intentan luchar contra ella mientras su resistencia aguante. Sin embargo, el águila no hace ninguna de esas dos cosas, sino que *vuela por encima*. Ni lucha contra la tormenta ni se escapa de ella, sino que la sobrevuela. Y ¿qué es esto –os pregunto– sino la Oración Científica tal y como la practicamos? En las enseñanzas espirituales aprendemos a no escapar de nuestros problemas ni luchar contra ellos con fuerza de voluntad, sino a tornarnos hacia Dios y darnos cuenta de Su Omnispresencia, a remontarnos por encima de ellos y a mantenernos en el plano espiritual en el que se encuentran la paz y armonía eternas. Sabemos que, si logramos hacer esto, aunque sólo sea durante unos minutos, nuestra dificultad, sea de la índole que sea, comenzará a desmoronarse, y que, con esta insistencia en la Oración Científica, siempre podremos vencerla.

Sin embargo, existe en este águila otra cosa de enorme importancia. No se parece a las otras águilas que, en el pasado, sirvieron de símbolos nacionales a otras naciones. No se parece en nada a las águilas de Roma ni a la prusiana ni a la de los Zares ni tampoco al águila bicéfala de Austria. Se trata del águila de cabeza desnuda, que no lleva ningún tipo de corona. La adopción de este tipo de águila como símbolo de los Estados Unidos no constituye simple accidente, siendo importante recordar que su uso viene expresamente mencionado en una Ley del Congreso. Significa nada menos que el poder del contacto directo con lo Divino o, como solemos decir, con la Presencia de Dios. Al llegar aquí, tendremos que hurgar un poco por debajo de la superficie de las cosas, como es el caso siempre que un símbolo cuenta con una especial importancia. La parte superior de la cabeza ha sido usada desde siempre para indicar la facultad del contacto directo con

Dios, diferente del acercamiento a él a través de un canal intermediario. Y esto sucede porque aquella facultad espiritual del hombre real se expresa o viene implicada en el plano físico por la glándula pineal, y en el psíquico o etérico, por el centro de fuerza –o chakra– que reside en la parte superior de la cabeza. Ahora bien, todo el objeto del auténtico desarrollo espiritual es darnos cuenta de nuestra unidad esencial con Dios, cosa que iremos logrando más y más a medida que dicha facultad espiritual se vaya desarrollando. En las consagraciones del mundo antiguo, al candidato a sacerdote se le afeitaba la parte superior de la cabeza o se le convertía en calvo para simbolizar lo anterior, contando nosotros, aquí, en América, con el águila de cabeza desnuda para decirnos lo mismo de diferente manera: que el destino de la nación americana es el de liderar el mundo hacia el momento en que la libertad personal y la verdadera realización de uno mismo proporcionen simultáneamente a la humanidad el contacto directo con Dios y un auténtico dominio sobre sí misma. Esta es la razón por la que este águila no luce corona alguna de autoridad personal o material, aunque enseñe la soberanía de la Verdad Impersonal Divina.

Mucha gente que comienza a buscar este contacto real con Dios se permite ser desviada bien a desarrollar el cuerpo físico, con la esperanza de que ello les hará más espirituales, bien a buscar el desarrollo psíquico, en la impresión de que el desenvolvimiento de los centros etéricos les acercará a Dios. Nada más erróneo, sin embargo. El único desarrollo verdadero y seguro consiste en el desarrollo espiritual mediante la Práctica de la Presencia de Dios que nos da la Oración Científica.

He elegido esta moneda en particular porque es la más completa de todas en cuanto a la presentación de los símbolos. Estos vuelven a aparecer una y otra vez, de una u otra forma, en todas las monedas y billetes americanos, aunque, en algunas instancias, algunos se omitan. En algunas monedas de veinticinco centavos, por ejemplo, sólo aparece la cabeza de la mujer, y en algunas emisiones de otras monedas, se deja de lado uno u otro de los lemas. Es digno de señalarse que este diseño en particular –la máxima expresión del destino de América– apareció cuando América entró por vez primera en el campo internacional como Gran Potencia, es decir, en los años 1916-1917. La moneda de cuarto de dólar o de veinticinco centavos era la idónea para este fin debido a que las de diez y cinco centavos, por su pequeño tamaño, presentaban una superficie mucho más limitada, teniendo, por otro lado, la de medio dólar una circulación general mucho menor. ¿No es la moneda de un cuarto la cosa más bella e inspiradora que nadie pueda poseer?

Los Estados Unidos han, en efecto, producido a lo largo de los tiempos una gran cantidad de inspiradoras monedas de gran belleza con el propósito, en general, de conmemorar algún suceso histórico. Esas monedas forman por sí mismas una historia ampliamente ilustrativa del país y todas ellas incluyen y proclaman en mayor o menor grado los principios que hemos venido considerando. Algunas de esas monedas son auténticamente extraordinarias. La moneda de veinte dólares de oro de St. Gaudens, por ejemplo (puesta en circulación a partir de 1908), no sólo es que constituya una de las monedas más bellas que hayan sido jamás acuñadas, sino también uno de los objetos más hermosos que hayan podido fabricarse en lugar alguno. En ella, el alma aparece como la Libertad, empuñando hacia lo alto la antorcha del conocimiento. Nosotros ya sabemos que la libertad auténtica sólo puede proceder del conocimiento de la Verdad Espiritual, lo que quiere decir el conocimiento de la Totali-

254

dad de Dios. El pie de la figura está colocado sobre la roca de la Verdad, asomando tras aquélla el "sol de la rectitud", que se levanta "sanando con sus alas." (Rectitud es el conocimiento recto o entendimiento espiritual). A lo lejos, se ve el Capitolio de Washington, que, por supuesto, representa a los Estados Unidos. Toda la figura proporciona la impresión de un elegante aplomo, extraordinaria confianza y despreocupado júbilo. En la otra cara, se ve al águila de cabeza desnuda contra el sol. El canto de la moneda lleva grabados el lema de *E Pluribus Unum* y trece estrellas para dotar de más espacio libre a ambas caras.

Aparte de su dinero, Los Estados Unidos cuentan con un sistema maravilloso de simbolismo nacional expresado en otras direcciones. Uno de los puntos más interesantes es la forma en que el número 13, por ejemplo, se produce en su historia y en su emblema nacional. Al llegar a este momento, ya sabemos que todo el mundo material no consiste sino en un amplio y complicado sistema de vibraciones. Eso y nada más. La tierra sobre la que vives, la casa en que habitas, el cuerpo que acarreas contigo, la comida que ingieres y la ropa que te cubre no son sino sistemas y trenes de vibraciones. Esto implica que los que denominamos números no sean en realidad sino índices de vibraciones y que posean significados insospechados por la mayoría de la gente. Se considera algunas veces que el número 13 da "mala suerte", pero no es sino una estupidez completa porque, en un mundo regido por leyes, no existe buena ni mala suerte. Somos nosotros quienes fabricamos nuestras propias experiencias mediante la manera de pensar que nos permitimos a nosotros mismos, y no hay más. Piensa bien, y se seguirá lo bueno; piensa mal, y se seguirá lo malo. Y esta es la regla.

El número 13 constituye realmente una expansión del 4, surgiendo este último continuamente en todas las fases de la historia de América. Para empezar, 13 Estados y 13 firmas en la Declaración de la Independencia; 13 barras en la bandera, 13 estrellas en las monedas (podéis contarlas), 13 plumas en el ala del águila, 13 flechas en su garra, 13 olivas y trece hojas en la rama de olivo, 13 varas en la Maza de la Cámara de Representantes, 13 escalones en la pirámide americana y 13 letras en el lema *E Pluribus Unum,* son los primeros ejemplos que le vienen a uno a la cabeza. El número 4 aparece en el 4 de julio, día en que se firmó la Declaración de Independencia y en que se dio la orden oficial para que se confeccionase el Gran Sello Nacional. Aparece de nuevo el 4 de marzo, día en que, al principio, prestaba juramento el nuevo presidente, habiéndose de señalar que el tiempo de cada mandato presidencial es de cuatro años, circunstancia que no ocurre en ningún otro país del mundo. Además, el número 4, en simbología, representa la expresión de una obra definida, constructiva y concreta, siendo, como ya hemos visto, el llevar la Idea Espiritual a una expresión concreta tanto en el plano mental como en el psíquico el destino histórico de los Estados Unidos. Ello significa por qué los lemas que aparecen en el Gran Sello de los Estados Unidos sean *Novus Ordo Seclorum*, que quiere decir "una nueva serie de eras" o que ha comenzado "un nuevo orden de cosas", y *Annuit Coeptis,* cuyo significado es que "El (Dios) ha aceptado nuestro compromiso". Ambos lemas proceden de Virgilio, y nada podría describir con mayor exactitud ni lo que América lleva haciendo por el mundo ni el hecho de que tiene una misión Divina.

El Gran Sello de los Estados Unidos encierra algunos de los símbolos más extraordinarios e interesantes del

ANVERSO

REVERSO

EL GRAN SELLO DE LOS ESTADOS UNIDOS

mundo. El anverso o cara muestra al águila con las alas desplegadas al estilo heráldico. Ya he mencionado con anterioridad el significado vital del águila, pero debo señalar que ase en su garra derecha una rama de olivo, y, en la izquierda, 13 flechas, denotando con ello que lo primero a tenerse en cuenta son la paz y la buena voluntad, pudiéndose recurrir a la fuerza tan sólo en última instancia. Desde un enfoque metafísico, la rama de olivo representa la afirmación, y las flechas, la negación, debiendo nosotros, en la Oración Científica, comenzar siempre por la afirmación de la Presencia de Dios. La negación, empleada científicamente, posee gran valor, aunque siempre sea de importancia secundaria a la afirmación.

El escudo con que aquí nos encontramos y que no está sujeto a parte alguna constituye una novedad en heráldica, ya que la mayoría de los escudos de armas de todos los países tienen "apoyos" a ambos lados. El de los Estados Unidos descansa sin apoyarse sobre el pecho del águila, lo que quiere decir que la Oración Científica se basta y sobra a sí misma y no necesita refuerzo externo o material.

La agrupación de 13 estrellas en la aureola y nubes conforma una testera muy poco convencional sobre la cabeza del águila, aunque de nuevo nos encontremos aquí con que no es sino una repetición del anuncio de que la Idea Espiritual ha de llegar de forma definida y concreta a los Estados Unidos, Las nubes del materialismo y de la falta de comprensión van aquí rolando y separándose de la Humanidad mientras el Sol de la Verdad brilla en el firmamento.

Sin embargo, el reverso o cruz del Gran Sello es todavía, si cabe, más notable y sorprendente que el anverso, aunque el pueblo americano haya tenido un acceso a él más bien limitado por no aparecer con frecuencia en enciclopedias ni otras obras de referencia, razón por la que lo reproduzco en estas páginas[1]. Tenemos ante nosotros una pirámide truncada –fijáos en los 13 peldaños–, cuya piedra final no ha sido colocada todavía. Por encima de ella y en el interior de un triángulo, aparece el antiguo símbolo del "Ojo Único" que-todo-lo-ve de que habló Jesús. Lo que dijo fue: "Cuando el ojo es único, todo el cuerpo se llena de luz", significando con ello que, cuando una persona o pueblo coloca a Dios en primer lugar, y a todo lo demás, en segundo, todo el cuerpo y toda la vida de esa persona o pueblo serán sanos y prósperos. El triángulo constituye el símbolo del alma humana en que la Divina comprensión ha de hacer su aparición. La piedra que culmina la cúspide de la pirámide no ha sido colocada todavía, para indicar que el hombre no puede llevar a cabo por sí mismo ninguna obra, sino solamente como instrumento de Dios, por contar con el Ojo Único. El hombre tiene el poder de atraer, mediante la oración, la acción de Dios, pero, sin esa divina acción, él no puede conseguir, de hecho, nada. La razón por la que los planteamientos humanos hayan sido, hasta ahora, tan efímeros es la de que el hombre ha dejado, demasiado a menudo, a Dios fuera de ellos. El "Ojo Único" es la "piedra que los constructores rechazaron", aunque se haya de convertir en la "piedra angular" del nuevo edificio que el pueblo americano está construyendo.

En su sentido más profundo, el Ojo Único representa la verdad espiritual final de la Totalidad de Dios (*E Pluribus Unum*), que es el destino que los Estados Unidos han de dar a conocer a todo el mundo. "Y el Evangelio debe ser dado a conocer al mundo entero" (Marcos 13:10). La

---

1. Ver nota al final de este capítulo.

razón por la que quienes diseñaron el Gran Sello lo colocaran en el lugar que ocupa fue la de que el pueblo americano tuviese muy en cuenta este hecho. Constituye algo sumamente significativo que, al diseñarse por vez primera, esta cara del Gran Sello no tuviera una acogida demasiado favorable. Pensaban que no era suficientemente artístico, e, incluso en nuestros días, se muestra raras veces, lo cual entiendo hasta cierto punto. Se debe a que, hasta el redescubrimiento de la Idea Espiritual –hecho que no aconteció hasta el segundo cuarto del siglo XIX–, su significado real no pudo ser entendido por todos. Ahora que ya conocemos que la Totalidad de Dios va, por fin, haciéndose conocida por todo el mundo, el diseño irá fijándose y haciéndose tan popular como el anverso. (El hecho de escribir este ensayo es parte de esa acción).

Esta pirámide estaba diseñada para contar con las mismas proporciones que la Gran Pirámide egipcia, suponiéndose que contemplamos su cara Norte, por ser en ésta donde se encuentra la entrada a la Gran Pirámide. Al tratarse de un dibujo con perspectiva, se hacía necesario mostrar además otra cara, eligiéndose para ello la cara *oriental*, por ser el Este el punto cardinal que siempre ha representado la iluminación o realización de Dios. Para nosotros los mortales, el día comienza por el Este, siendo ésta la razón por la que muchas iglesias cristianas y numerosos templos de la mayoría de las antiguas religiones se encuentren orientados hacia el Este, estando colocado el altar en el extremo oriental del edificio para que los fieles pudiesen contemplar el sol naciente. La tan generalizada costumbre de enterrar a los difuntos con los pies en dirección a Oriente para tener el rostro hacia la salida del sol se debe a la misma causa. También es significativo que la pirámide constituya la figura geométrica representativa del Espíritu por ser tenida por la expresión constante de una llama viva: el principio del fuego. Además y de paso, la pirámide constituye un determinado tipo de estabilidad, ya que, de todas las figuras sólidas, es la más difícil de volcar. Ahora ya podemos entender fácilmente que el individuo o nación que esté sellado con tales principios haya iniciado en realidad un nuevo y maravilloso principio y no tenga nada que temer.

De hecho, toda la Constitución americana es, en realidad y en sí misma, un hermosísimo símbolo, un diagrama, podríamos decir, de la Verdad Suprema: *E Pluribus Unum*, Todos menos Unos. Uno menos todos constituye la Verdad Cósmica suprema y final, hallando este hecho espiritual su expresión concreta en el orden político de los Estados Unidos. Son uno, y esta unidad es la garantía de la libertad y seguridad de cada uno de ellos, aunque, sin dejar de ser uno, son muchos, constituyendo esta libertad local el aval del total crecimiento y prosperidad de cada parte o Estado. Ahora podemos darnos cuenta de que, sin una Constitución federal, los Estados Unidos no podrían durar mucho tiempo. Las condiciones de vida y las consiguientes necesidades de gentes de tan diversas procedencias como Maine y Arizona u Oregón y Luisiana son tan diferentes; sus tradiciones y formas de ver la vida son tan variadas, que sólo pueden prosperar a través de una total autonomía en sus asuntos locales. Es un hecho cierto que los Padres de la Constitución no pudieron imaginar de forma consciente la Gran Nación y Potencia Internacional que había surgido de su trabajo, pero eran hombres dotados de inspiración y –conscientes o no, como todos los inspirados– construyeron mejor que lo que sabían. Este orden federal –ideal, por otra parte– de unidad corporativa y libertad individual es, como veréis, la expresión perfecta de la correspondiente relación de Dios con los hombres. Es instructivo tener en cuenta que los escasos errores de importancia cometidos por el pueblo americano han sido causados en su mayor parte por olvidar temporalmente este principio, bien por realizar el Gobierno Federal algo por Estados individuales que éstos tenían que realizar por sí mismos, bien por dejar de hacer algo por ellos que hubiera debido hacerse. Es curioso e interesante al mismo tiempo observar que el Distrito de Columbia, centrándose en el Presidente y rodeado, como un sol, por los cuarenta y ocho Estados, equilibrados de forma planetaria, forma un bello jeroglífico tanto del Sistema Solar en que todos vivimos inmersos como del principio cósmico de *E Pluribus Unum*.

Pero, ¿quiere todo esto decir que creo que la futura historia de los Estados Unidos vaya a ser un sencillo y fácil camino de desarrollo ininterrumpido? No, no creo nada de eso. El hecho es que una vida tranquila y sin vicisitudes es señal de edad y de decrepitud más bien que de juventud y vigor. El destino de la juventud es encontrarse con grandes problemas y enfrentarse y resolver enormes dificultades, constituyendo su gloria el contar con la visión y la energía para llevar a cabo ambas cosas sin temor. Cuando la vida de una persona o de un pueblo se hace amable y carente de vicisitudes quiere decir que el trabajo ha sido ya realizado; pero el trabajo de esta nación está sólo empezando, y yo espero, por lo tanto, que, en los años venideros, aparezcan grandes problemas y dificultades –e incluso peligros– a los que debamos enfrentarnos y vencer. Pero también sé que cuanto más sea el pueblo americano fiel a sí mismo y al Sueño Americano, es decir, cuanto más unido permanezca en las cosas básicas, más tiempo permanecerá invicto y mejor cumplirá con su destino de servicio al mundo. Tanto las dificultades como los problemas son buenos en sí mismos porque el vencerlos en cada caso constituye una prueba de un paso más hacia adelante en la consciencia.

De hecho, sólo existe un auténtico peligro que pudiera amenazar la seguridad de los Estados Unidos. La inmensidad de su superficie –en realidad es un subcontinente– y lo ideal de su situación geográfica los hacen absolutamente inmunes a una invasión diferente a la de incursiones aéreas, que resultarían costosísimas y carecerían de efectos permanentes. No existe ni, humanamente hablando, puede existir ningún enemigo exterior al que pudiesen temer seriamente. El único peligro que jamás pudiera amenazarlos sería el de que se produjesen disensiones graves entre su propia gente. El único peligro real que pudiera amenazar a los Estados Unidos es el de que una parte del pueblo americano se pelease con tanto encono con la otra parte como para olvidarse de la unidad nacional, precipitando, así, un conflicto interno. En ese caso podría ocurrir que la casa, dividida, se desmoronase, pero no existe otra forma. Si ocurriese algo parecido, no sería de extrañar que alguna potencia extranjera se aprovechase de su paralizada situación –porque una nación en lucha consigo misma está, como es natural, paralizada militarmente– para atacarlos. Esto estuvo a punto de ocurrir una o dos veces durante el transcurso de la Guerra del Norte contra el Sur, siendo tal peligro mil veces mayor en la actualidad debido a los grandes cambios que se han producido tanto en las estrategias terrestres como en las navales. Una y otra vez a lo largo de la historia, las querellas internas han destruido naciones de todos tamaños, aunque se den todas las razones para creer que el pueblo americano no se verá traicionado y arrastrado a un error tan obviamente suicida.

Ese peligro no podrá producirse mientras el pueblo americano tenga cuidado en no permitir jamás que su espíritu de partido se encone tanto como para que le parezca más importante la destrucción de sus enemigos políticos que la seguridad del país.

Por muy entregado que estés a cualquier causa en concreto, por mucho que te opongas a otra, lo más vital que no debes olvidar es que cualquier causa, por buena que sea en sí, tiene una importancia secundaria a la causa suprema de la unidad nacional. Y cualquier doctrina distinta a ésta es, con toda certeza, pura traición.

Un Estado democrático ordenado sólo podrá durar mientras sus habitantes se encuentren lealmente preparados para aceptar el veredicto de la mayoría de sus conciudadanos cuando éste se exprese de forma acorde con la Constitución y por mucho que sea contrario a sus sentimientos, y mientras apoye, también con lealtad, a los elegidos para sus respectivos cargos, le gusten personalmente o no.

Una excelente costumbre de este país es la de que, después de las elecciones y por muy disputadas y acaloradas que las campañas hayan sido, el candidato vencido envíe un telegrama de felicitación a su victorioso oponente. Esta costumbre constituye un excelente ejemplo de cómo esta verdad a la que denominamos "Ciencia Divina" ha venido impregnando al país desde el momento mismo de su nacimiento. Esta costumbre constituye, básicamente, la afirmación de que el partido vencido permanece fiel a la Constitución y acepta su espíritu incluso en el momento más difícil.

Mientras se llevan a cabo las elecciones, tú tienes derecho a hacer todo lo que esté en tu mano para propiciar el éxito del Partido en que crees. Sin embargo, terminadas las elecciones –ya sean éstas algo de poca importancia y de carácter local, ya las presidenciales– tu deber es hacer todo lo posible por apoyar y ayudar al que haya sido elegido. Antes de la elección, el candidato no es más que el líder de un partido; una vez elegido, es el líder de todos, siendo, como es natural, ésta la manera en que el elegido debe contemplar su victoria. Cualquier postura diferente sería anteponer un grupo a la nación y ¿qué es esto sino deslealtad?

Los principios mencionados requieren a menudo un gran esfuerzo de autocontrol y, en muchos casos, una profunda lucha con los principios de uno mismo, del partido, de la familia y otras tradiciones, pero ¡cuán poco frecuente es que las opciones elevadas sean fáciles de tomar!

De todo esto se deduce de forma natural que cualquier hombre público o periódico o cualquier grupo constituido de personas, con independencia de cómo puedan llamarse, que intente indebidamente atizar el fuego del encono político o parcial, no es digno de confianza. En la medida de lo posible, estos sembradores de la discordia deberían ser ignorados, porque, sin apoyo material, sus esfuerzos se irán marchitando.

Finalmente y para acabar, permítaseme decir que, cuanto más americana sea América, mejor para América. No copiemos a otros países. No copiemos a Europa, porque nuestro destino es América. No copiéis a Inglaterra. Dios hizo ya una vez a Inglaterra y la hizo muy bien, pero no quiere hacerla otra vez porque Dios jamás se repite. No copiemos a Francia. Dios ya hizo a Francia una vez y también la hizo muy bien y tampoco quiere repetirla. No copiemos a Alemania o a Italia o a cualquier otro país del mundo, sino sed vosotros mismos. Si tenemos que cometer errores –¡por Dios de los Cielos!–, cometamos los propios y no los de los demás. Al cometer nuestros propios errores, aprendemos muchísimo, y, si sufrimos, ese sufrimiento vale la pena porque aprendemos de él. Pero, cuando cometemos los errores de los demás, sufrimos lo mismo, pero sin aprender nada. Cuanto más americana sea América, más deprisa caminará hacia delante, mejor vivirá su gente y más podrá ayudar al mundo.

Recordad que América no es en absoluto una copia nueva de algo viejo, sino algo sumamente nuevo y, por lo tanto, algo mejor que nada que haya podido suceder antes.

(Este capítulo es una síntesis
de una conferencia pronunciada en 1932).

Nota: El lector podrá apreciar que la profecía realizada en el texto del reverso del Gran Sello (el que muestra la pirámide) al decir que sería ampliamente conocido por el pueblo americano se ha cumplido al emitir el Gobierno un nuevo billete de dólar en el que aparecen ambas caras del Sello.

Índice

Índice